Lucas
Tome I
L'héritage d'Orcival

Guy Laplace

Lucas
Tome I
L'héritage d'Orcival
Roman

LE LYS BLEU
ÉDITIONS

Prologue

— Enfin ! s'exclama-t-il soudain, le jour tant attendu approche. Voilà cinq cents ans que je patiente, cinq cents ans que j'espère, que je prie. Oh ! non, je ne vous ferai pas cette joie, ne croyez pas que je sois faible à ce point, pas de prières ici, pas en ce lieu, je ne vous offrirai pas ce plaisir. Il arrive et bientôt je ne serai plus sous votre joug. Grâce à lui, je vais mettre un terme à cette misérable destinée dans laquelle vous m'avez emprisonné. Mes chers compagnons, rassurez-vous, nous sommes à l'aurore d'un jour nouveau. Sous peu, nous serons libérés de ces chaînes maudites qui nous gouvernent depuis notre mort. Sentez-vous ce merveilleux goût de sang et de vengeance ? Bientôt, ce délicieux nectar coulera à nouveau avec sa venue dans mon domaine.

En cette année mille neuf cent soixante et onze, ces mots sombres et empreints de haine résonnèrent comme une condamnation dans tout le caveau où reposait la dépouille du chevalier d'Orcival.

Au même instant, un jeune couple s'installait dans ce magnifique village médiéval au numéro six de la rue des noisetiers, dans une maison moyenâgeuse imprégnée d'histoires, d'obscures histoires, de tristes souvenirs et de cruelles rumeurs.

Désormais, c'était la maison des Delson. John avait trouvé un emploi dans la coutellerie du quartier. Sa femme, Marie, au ventre arrondi par l'amour, travaillait dans la petite boulangerie située sur la place du village en face de l'église où exerçait le père Abel.

Avec la venue de leur premier enfant, ils espéraient vivre dans ce village une vie heureuse et paisible… oui, paisible.

Chapitre 1

Comme tous les dimanches, John et Marie se rendirent à l'église. Sous un magnifique soleil d'août, ils marchèrent tranquillement, simplement heureux de se promener main dans la main.

En chemin, ils passèrent devant le vieux cimetière médiéval, avec ses croix celtiques et hosannières. Intéressé, John s'arrêta un instant.

— Imagine toutes ces tombes qui datent du moyen-âge. Il y a sûrement ici de preux chevaliers qui sont enterrés, tu ne crois pas ? demanda-t-il à Marie sans réellement attendre une réponse.

— Certainement, lui répondit-elle en se tenant le ventre.

— Tu vas bien ? s'enquit John en voyant le teint soudainement blême de sa femme.

— Oui, ne t'inquiète pas. Le petit est juste un peu agité ce matin.

À demi rassuré, John déposa un baiser sur la joue de Marie, lui prit la main, et ils continuèrent leur route jusqu'à l'église où ils retrouvèrent la plupart de leurs amis et voisins venus assister à la messe dominicale.

Avant de rentrer dans ce lieu saint, tout le monde se salua, se raconta un peu la soirée de la veille, ou simplement parla de tout et de rien, jusqu'à l'arrivée du père Abel qui annonça le début de l'office.

Les habitants du village pénétrèrent silencieusement dans cette ancienne église romane et s'installèrent en fonction des affinités qu'ils avaient les uns avec les autres.

John et Marie prirent place au milieu, sur le côté gauche de la nef centrale. Tout le monde était fier de ce monument si bien entretenu. Dans le village, les gens étaient très croyants et chaque dimanche ils prenaient plaisir à se retrouver dans ce lieu saint pour prier.

Le père Abel prit place devant l'autel, et commença son sermon. L'assemblée l'écoutait avec la plus grande attention. Ses ouailles entonnèrent des chants liturgiques et prièrent jusqu'au cantique final. La messe se termina par la quête habituelle dans le carillonnement des cloches.

En quittant l'église, chacun fut surpris de constater que le soleil avait disparu. Le ciel se faisait de plus en plus sinistre. De lourds nuages obscurs traînaient leur malveillance au-dessus des grands arbres échevelés, comme pour annoncer un quelconque désastre. Les habitants se hâtèrent de rejoindre leurs maisons, voulant à tout prix éviter le terrible orage qui menaçait.

John et Marie reprirent le même chemin qu'à l'aller. Au moment où ils passèrent devant le vieux cimetière, un gigantesque éclair s'abattit sur la tombe centrale de la nécropole. Une énorme explosion projeta dans les airs d'innombrables fragments de pierre. De la sépulture, il ne restait qu'un improbable cratère d'où s'élevait une singulière brume qui se déplaçait en direction de Marie. La nébulosité l'atteignit bientôt. Sans que la jeune femme comprenne ce qui lui arrivait, elle s'enroula autour d'elle et entra en elle comme pour prendre possession de son être.

Frappée de stupeur, Marie se tourna vers son mari avec un regard inexpressif. Le corps secoué de tremblements, elle lui lâcha la main, vacilla et s'effondra sur les pavés mouillés de la ruelle.

Alors, de violents éclairs déchiraient un ciel de mort. Sous la pluie battante, John essaya de réveiller sa femme. N'y parvenant pas, il la prit dans ses bras et l'emmena précipitamment jusqu'à leur maison qui n'était plus très loin. Il ouvrit la porte avec quelques difficultés, entra dans le salon et la déposa délicatement sur le canapé. Il essuya son visage et ses cheveux avec une serviette de toilette pour la sécher de la pluie, et s'aperçut avec soulagement qu'elle respirait normalement. Pourtant, elle demeurait inconsciente. Il se saisit du téléphone pour appeler le docteur Fabri. Il le pria de venir de toute urgence en lui expliquant dans un affolement total le cas étrange de sa femme.

Le médecin arriva rapidement, trempé jusqu'aux os. Heureusement, John lui avait laissé la porte entrouverte et il se rendit au chevet de Marie. Il ausculta minutieusement sa patiente, mais tout lui semblait normal. Elle avait l'air simplement endormie pourtant, elle était impossible à réveiller, comme si son esprit était à mille lieues d'ici dans un autre monde.

Les deux hommes restèrent un long moment assis à son chevet. Le docteur Fabri surveilla régulièrement sa respiration, sa tension, son pouls, mais Marie était toujours dans un état léthargique. Le médecin questionna John, il voulait en savoir plus :

— Que s'est-il passé exactement ?

— Je ne comprends toujours pas ce qui a pu se passer, répondit John inquiet. Nous revenions de la messe quand la foudre s'est abattue sur le cimetière. Il y a eu une explosion puis ce que j'ai tout d'abord pris pour de la fumée. Marie était affolée. En quelques secondes, cette étrange brume s'est approchée de nous puis l'a enveloppée. Elle s'est effondrée et je l'ai ramenée chez nous. C'est tout ce dont je me souviens.

11

— J'ai du mal à comprendre son état, avoua le médecin. Physiquement, elle va très bien et le bébé également. On la croirait tout simplement endormie, mais rien n'y fait pour la réveiller, pas même l'élixir à base de menthe que je lui ai fait respirer.

À peine avait-il terminé sa phrase que les deux hommes virent les doigts de Marie remuer légèrement. Puis, ce fut son bras et enfin, elle commença à ouvrir lentement les yeux tout en respirant fortement, comme si elle sortait d'une période d'apnée. John lui prit alors la main pour la rassurer.

— Comment te sens-tu, ma chérie ?

Marie eut du mal à parler. Les mots s'échappaient de sa bouche par fragments, désordonnés.

— Je… Le chevalier… Il m'a dit… Je… ne sais pas…

Soudainement, la jointure de ses doigts blanchit dans la main de John qui esquissa une grimace de douleur. Sa respiration s'amplifia et un moment de panique assiégea son visage.

— Non… pas l'enfant… il n'a pas le droit.

— Que dites-vous ! s'étonna aussitôt le médecin.

Mais le regard de Marie se rasséréna, sa respiration se fit plus douce tandis qu'elle recouvrait ses esprits :

— Tout va bien, docteur ? John que s'est-il passé ?

— Tu ne te souviens donc de rien, ma chérie ?

— Bien sûr que si. Je me rappelle la messe à l'église, puis nous sommes rentrés sous cet affreux orage… Mais, pourquoi suis-je allongée sur le canapé, docteur ? s'étonna soudainement Marie. Y aurait-il un problème avec le bébé ?

— Aucun, lui répondit le médecin d'une voix amenée. Rassurez-vous, il va très bien. Mais vous, vous souvenez-vous de votre malaise ?

— Non. Je ne vois pas de quoi vous parlez. Je me sens très bien, avoua Marie.

Sous le regard interdit des deux hommes, la future maman se leva et s'empressa d'aller préparer le repas. Sans la quitter des yeux, le docteur Fabri murmura quelques recommandations à John avant de prendre congé.

John observa un long moment sa femme affairée au fourneau tout en se remémorant ce qui aurait pu être un tragique événement. L'improbable orage, l'éclair, l'explosion et cette brume... En y repensant, il se mit à frissonner comme si de petits doigts glacés s'amusaient avec sa colonne vertébrale.

— Que s'est-il réellement passé dans ce cimetière aujourd'hui ? s'interrogea-t-il. Était-ce vraiment de la brume ou bien...

N'y tenant plus, il s'approcha de Marie.

— Tu es certaine que tout va bien, ma chérie ?

— Bien entendu. Pourquoi cette question ? lui répondit-elle, étonnée.

Calmement, John lui raconta ce qui s'était passé sur le chemin du retour. Ébahie par cette invraisemblable histoire, Marie le dévisagea d'un air dubitatif. Elle ne comprenait pas où il voulait en venir. Elle n'avait aucun souvenir de ce genre.

Devant l'incrédulité de son regard, John prit conscience qu'il ne pourrait obtenir de réponses. Et avant même qu'elle n'ouvre la bouche, il déposa sur ses lèvres un doux baiser.

— Oublie ce que je viens de te dire, ça n'a aucune importance.

— Tu es certain que tout va bien ? s'inquiéta Marie.

— Oui, je t'assure, la tranquillisa-t-il. Pendant que tu prépares le repas, ça ne te dérange pas si je vais faire un tour près du cimetière ? J'aimerais voir les dégâts provoqués par la foudre.

— Si tu veux, acquiesça Marie, perplexe.

— Ne t'en fais pas, je ne serai pas très long.

John embrassa sa femme et sortit de la maison. Il avait très envie de retourner là-bas. Quelque chose l'attirait et il avait besoin de réponses.

Comme la nuit commençait à tomber, il emporta une lampe de poche et prit la direction du vieux cimetière.

La pluie s'était calmée. John marcha d'un pas décidé et arriva très vite sur les lieux.

Il ouvrit le petit portail en bois et s'avança prudemment au centre du cimetière en regardant avec inquiétude les tombes alentour. Il s'arrêta net à la vue de l'amas de débris de ce qui fut une ancienne tombe avant l'impact de la foudre. D'innombrables fragments de pierre jonchaient le sol, mais ce furent les restes d'une croix qui attira son attention. Il s'agenouilla et orienta sa lampe sur les inscriptions latines gravées sur la pierre, sans en comprendre la signification. Il se redressa et se dirigea vers ce qui semblait être un trou. Une odeur nauséabonde en émanait. Il s'approcha prudemment pour ne pas trébucher. Dans le faisceau lumineux de sa lampe, il s'aperçut que le cratère laissé par l'éclair paraissait sans fond. Il prit une petite pierre qu'il jeta machinalement à l'intérieur pour en évaluer la profondeur. Les secondes s'égrenèrent dans un silence absolu. John patienta encore un instant avant qu'une certaine hantise n'étreigne son courage. Il considéra les alentours puis s'agenouilla près de cette bouche sombre et silencieuse pour éclairer le plus profond possible. Ses genoux s'enfonçaient dans la terre humide et il ne remarqua pas que sous son poids, une parcelle s'affaissait. Non loin de lui, une fissure se formait. Le terrain se mouvait autour de lui, mais il ne s'en inquiéta pas tout de suite. Sa curiosité était plus forte que sa prudence. Il continua son observation en se penchant encore plus et soudain le sol se déroba sous lui. Dans un réflexe instinctif, il essaya de s'agripper au reste de la croix, en vain. Il tomba dans cette bouche sombre et silencieuse, englouti par les ténèbres. Sa chute lui parut interminable. Il dévala la pente abrupte du gouffre jusqu'à ce que sa tête heurte un objet et il perdit connaissance.

Tout au long de sa chute, le sol continua à se mouvoir, de se transformer. Méthodiquement, il se refermait sur lui-même. John était bel et bien sur le point d'être enterré vivant.

Chapitre 2

Marie venait de terminer le repas. Le ragoût refroidissait doucement dans les assiettes, mais elle ne put se résoudre à y toucher. Elle n'avait pas faim. Elle préféra sortir sa table à repasser et son fer pour s'occuper, pour tenter de penser à autre chose. Malgré tout, elle perdit son regard par la fenêtre et s'aperçut à regret que le soleil s'était couché depuis un bon moment.

Marie était inquiète. D'innombrables questions sans réponses fragilisaient son esprit. John était déjà parti depuis plus de deux heures maintenant. Elle s'efforçait de se rassurer en espérant qu'il s'était probablement arrêté chez un de leur voisin, comme il le faisait de temps en temps.

— Il m'aurait prévenue, s'angoissa-t-elle dans un vague murmure. Il me prévient toujours.

Marie était bien trop troublée pour réfléchir. Elle monta nerveusement dans la chambre pour ranger ce linge qu'elle n'avait pas repassé, puis elle se dirigea vers l'escalier. En passant devant la porte qui mène au grenier, elle eut la curieuse impression d'être attirée par cette pièce. Une force irrésistible, une voix peut-être lui intimait l'ordre de venir. Ses yeux se posèrent sur la poignée, sa main s'en approcha fébrilement. Elle inspira profondément, hésita une seconde, mais finalement elle tourna le dos à la porte.

— Ce n'est qu'un grenier, se rassura-t-elle, en redescendant à la cuisine.

En arrivant en bas elle regarda l'horloge et vit qu'il se faisait tard. L'absence de son mari la tourmentait. Elle saisit nerveusement le téléphone et appela leur voisin et ami Patrick, qu'ils fréquentaient régulièrement.

— Bonsoir ! c'est Marie, auriez-vous eu la visite de John ce soir ?

— Non, pas du tout, s'étonna Patrick. Que se passe-t-il ? Tu as l'air inquiète.

Marie tordait le fil du téléphone avec anxiété.

— Rien... Je ne sais pas encore, merci, à bientôt.

La déception se lisait sur son visage. Elle décida d'attendre encore un peu et monta dans la chambre pour regarder par la fenêtre au cas où elle l'apercevrait au loin. En passant de nouveau devant la porte du grenier, elle ressentit une nouvelle fois cette sensation, mais plus intense, plus troublante. Elle éprouva un mal-être et une tentation presque incontrôlable. Elle voulut savoir ce qui pouvait bien la déranger dans cette pièce. Ce n'était qu'un banal grenier, avec les peurs et les histoires que l'on peut s'imaginer dans ce genre de lieu sombre et glauque.

Elle ouvrit la porte, monta les quelques marches grinçantes, et se retrouva dans le grenier. La pièce était totalement dans l'obscurité, seul un œil-de-bœuf laissait passer la lumière que diffusait la pleine lune dans un ciel libéré de tous nuages. Elle avança à tâtons, en se tenant au mur. Sa main effleura quelque chose. Elle toucha l'objet et reconnut aussitôt la vieille horloge comtoise hors d'usage de ses parents. John l'avait entreposée ici lors de leur emménagement. Ils espéraient pouvoir la faire réparer un jour pour l'installer dans leur salon. Marie et John affectionnaient particulièrement ce meuble en merisier.

Elle avança de quelques pas, puis s'arrêta en entendant le bruit sourd de la pendule derrière elle. Elle se figea soudainement sans réellement comprendre pourquoi le mécanisme de l'horloge s'était remis en marche. Le tic-tac se fit soudain plus fort. Horrifiée, elle plaqua ses mains sur ses oreilles lorsque le balancier se détacha de son ancrage et vint briser la vitre qui le renfermait. Marie recula brusquement, affolée. Son talon heurta une ancienne malle pleine de tissus et de vêtements usagés. Elle se rattrapa de justesse à un rouleau de corde accroché au mur sous une épaisse toile d'araignée. Répugnée, elle essuya ses mains sur son tablier. Elle dégagea son visage paniqué de ses longs cheveux bruns collés sur sa figure en sueur. Le silence revint aussitôt, Marie se redressa, haletant pour retrouver un second souffle. Complètement apeurée, elle crut entendre une voix, un chuchotement, au loin, au fond du grenier. Elle resta immobile en essayant de se convaincre que ce n'était pas réel. Elle posa ses mains sur son ventre, son bébé était plus agité que d'habitude. Elle eut l'impression qu'elle allait s'évanouir. Provoquée par cette succession de frayeurs angoissantes, la douleur se fit insoutenable. Ses jambes ne la supportaient plus, elle commençait à manquer d'air et dut ressortir en toute hâte. Elle avança péniblement dans le couloir et entra dans sa chambre pour s'asseoir sur le lit. Elle se sentit beaucoup mieux, plus apaisée, comme une sensation de calme régnant après une terrible tempête.

Marie ne comprenait pas ce qui lui arrivait, et pensait en parler avec John lorsqu'il rentrerait. Après s'être remise de ses émois, elle eut l'idée d'appeler le père Abel au cas où il l'aurait aperçu. Elle prit le combiné qui se trouvait sur la table de nuit à côté d'elle :

— Allô mon père c'est Marie Delson, auriez-vous vu mon mari ce soir ?

— Ah, non ! Marie, je ne l'ai pas vu depuis que vous avez quitté la messe. T'a-t-il dit où il allait ?

— Oui. Vous le connaissez, il est très curieux. Il m'a parlé du cimetière pour constater les dégâts occasionnés par la foudre. C'est ce qui pourrait être la cause de mon malaise d'après ses dires.

— Un malaise, mais tu vas bien ? Rassure-moi !

— Oui, tout va bien, je ne m'en souviens pas beaucoup à vrai dire. John a fait venir le médecin, il n'y a rien de grave, mais je m'inquiète pour lui, il est introuvable.

— Écoute Marie, si tout va bien c'est le principal. Comme je suis à côté, je vais me rendre sur place voir si je le trouve, et si c'est le cas je lui dirais que tu l'attends. Je te rappelle ensuite, d'accord ?

— Bien mon père, merci beaucoup.

Abel raccrocha, passa un manteau, prit une lampe de poche, et sortit de son presbytère. Il marcha en direction du cimetière qui se situait à deux pas d'ici.

Il arriva devant le portail en bois et fut plutôt surpris de le voir ouvert, car il le fermait tous les soirs. Il alluma sa torche malgré la pleine lune qui éclairait parfaitement les environs. Il parcourut les différentes allées entre les sépultures et s'arrêta au niveau de la tombe centrale. Elle était intacte, sans aucune trace de John, mis à part quelques vestiges de pas sur le sol boueux. Il examina attentivement la terre, et remarqua aussi quelques empreintes de mains. Cela le déconcerta quelque peu, sans plus. Il refit un tour pour être sûr de ne trouver personne et ressortit en fermant correctement le portillon. Il retourna chez lui pour rappeler Marie.

— Allô ! c'est le père Abel.

— Mon père, avez-vous vu John ?

— Non, le cimetière était bizarrement ouvert, mais je n'ai vu aucun reste de tombe abîmée ou détruite, tout est parfaitement normal. Ton mari n'y était pas. J'ai juste remarqué quelques traces sur le sol, mais rien de bien important.

Marie était de plus en plus angoissée et inquiète.

— Mais alors que s'est-il passé, où est John ?

— Je n'en sais pas plus Marie. Je vais essayer de téléphoner à droite et à gauche pour avoir des renseignements. À tout hasard, quelqu'un l'aura sûrement vu.

— Merci, mon père, tenez-moi au courant.

Elle raccrocha en gardant la main sur le combiné, elle était pensive. Elle remit l'appareil à son oreille et décida d'appeler aussi ses différents voisins, dans l'espoir de trouver une raison à la disparition plus qu'étrange de son mari.

*

Au même instant, à plusieurs mètres sous terre, John reprenait lentement ses esprits. Il sentait couler son sang le long de sa nuque. Il avait une plaie à la tête qui le faisait affreusement souffrir.

Il essaya de s'agenouiller, malgré une douleur aiguë et lancinante. Il cherchait à tâtons sa lampe de poche dans l'obscurité la plus totale. L'angoisse commençait à le gagner, lui qui n'aimait pas être dans le noir absolu.

Un courant d'air accompagné d'un léger sifflement traversait l'endroit où il se trouvait. Instinctivement, il regarda autour de lui, mais il ne vit pas la moindre lueur. Il ressentait comme une présence à ses côtés, proche de lui. Était-ce ce vent si glacial ?

— Mon Dieu ! y a-t-il quelqu'un dans ce fichu trou ? Calme-toi John, se rassura-t-il. Ce n'est rien, dépêche-toi de trouver cette maudite torche.

Il sentit un frôlement sur son épaule gauche. Il se retourna brusquement en criant.

— Qui est là ? Répondez ?

Il ne reçut aucune réponse. Son pouls s'accélérait, la peur l'envahissait davantage et des tremblements incontrôlables commençaient à s'emparer de lui. Il ferma les yeux et respira profondément pour se calmer un peu.

Ses mains fouillèrent plus hâtivement le sol et heurtèrent beaucoup d'ossements et d'objets métalliques dont il ignorait la provenance. Il poussa un cri en se piquant avec vraisemblablement la pointe d'une lame. Après de minutieuses recherches et de rencontres douloureuses, il trouva enfin sa lampe. Il appuya sur le bouton et s'aperçut avec contentement qu'elle était encore en état de marche. Il balaya les alentours avec son faisceau lumineux empli de poussières virevoltantes.

Il se rendit vite compte qu'il était dans un immense ossuaire. Il était rempli de tombes ouvertes, habitées de squelettes moyenâgeux inhumés avec leurs armes, boucliers et armures. Il remarqua après un certain temps que chacun des emplacements était occupé sauf un, totalement vide. Il regarda à l'intérieur, il n'y avait absolument rien. Il distingua néanmoins une empreinte de corps, ce qui lui laissa à penser qu'un être défunt s'y trouvait encore il y a peu de temps. Il n'y avait aucune poussière alors que le couvercle était grand ouvert. John était perplexe.

Il éclaira ensuite au-dessus de lui et vit que tout était hermétiquement clos. Il se demanda comment ce gigantesque trou dans lequel il était tombé avait pu se refermer de lui-même.

John s'arrêta, inquiet. Il venait d'avoir une pensée pour sa femme qui devait se faire un sang d'encre pour lui. Il ne savait pas depuis combien de temps il se trouvait ici. Il regarda sa montre, mais elle s'était brisée dans sa chute. Il était conscient que Marie était seule, sans nouvelles. Il se pressa davantage pour essayer de dénicher une issue à ce qu'il estimait être un terrible piège qui s'était refermé sur lui. Il ne voulait pas, et refusait que ce tombeau devienne le sien.

Soudain, il entendit comme une respiration et ressentit une exhalaison chaude dans son dos. Il tressaillit de peur en serrant sa lampe très fort et se retourna d'un coup, mais ne vit rien. Il recula lentement, son pied heurta quelque chose. Il pencha la tête et vit le pommeau d'une arme ensanglanté. Il venait de découvrir l'objet qui l'avait assommé. Il voulut ramasser l'épée, mais sa lame était coincée dans le sol, un peu comme la célèbre Excalibur du roi Arthur, prisonnière de son rocher. Cette pensée fit naître sur son visage fatigué et poussiéreux un pâle sourire.

Il posa sa lampe sur un cercueil afin de la caler et pouvoir s'éclairer convenablement. Il se saisit du pommeau et tira de toutes ses forces. Heureusement, ses nombreuses séances de sport lui avaient permis d'acquérir suffisamment de force pour sortir l'épée de son fourreau de terre. Il l'essuya avec la manche de sa chemise et l'observa de plus près. Sur la lame, il y avait une multitude de signes différents qui lui étaient totalement inconnus. Exerçant depuis quelque temps dans une coutellerie, il ne put qu'admirer le travail d'orfèvre qui avait été pratiqué sur cette arme. Quant à la poignée, elle ne ressemblait en rien à ce que pouvaient posséder les chevaliers de l'époque. Elle représentait une sculpture de deux serpents entremêlés, surmontés d'un petit objet conique. Il la trouva magnifique.

Il reposa l'épée, et entendit à nouveau un souffle rauque. La respiration haletante se fit de plus en plus proche, de plus en plus forte. John frissonnait. En se retournant, son regard se retrouva en face de deux yeux brillants qui l'observaient. Il eut un mouvement de recul. Il était terrifié, il n'y avait rien d'autre que ces pupilles d'un bleu sombre.

Pas de visage ni de corps. Il resta sans voix et avait du mal à contenir sa peur. Les deux lueurs semblaient s'éloigner petit à petit de lui dans ce couloir d'une profondeur sans fin, inexorablement long. C'était comme si cette apparition, mystérieuse et menaçante, l'invitait à la suivre.

John ne savait que faire, son esprit était auprès de sa femme, il ne cessait de songer à elle. En observant ce phénomène étrange, insaisissable, il se dit qu'il ne la reverrait peut-être plus jamais. D'un coup, il se ressaisit et puisa son courage dans ses pensées. Marie était là, dans son cœur, dans son esprit.

Il entra dans ce corridor étroit tout en suivant ces yeux luminescents.

Chapitre 3

Marie se préparait une tisane pour patienter. Elle avait appelé toutes les personnes qu'elle connaissait, mais aucune d'entre elles n'avait pu lui apporter le moindre renseignement sur son mari. Sa disparition l'inquiétait.

Soudain, au moment de s'asseoir, elle entendit frapper à la porte d'entrée. Elle s'empressa d'aller ouvrir en espérant voir enfin le visage de son époux. À son expression, on pouvait deviner sa déception quand elle vit que c'était le père Abel. Elle l'invita à entrer et le fit asseoir.

— Voulez-vous boire quelque chose, mon père ? Puis-je vous offrir un café, un thé ou une tisane si vous préférez ?

— Je prendrai bien une tasse de thé, s'il te plaît.

Elle lui prépara une théière, et le servit en le questionnant sur sa venue à une heure aussi tardive.

— Je voulais t'apprendre que beaucoup de nos concitoyens sont en ce moment à la recherche de John. Dans ton état, il m'est impossible de te laisser seule. Donc je vais rester avec toi, si tu le désires bien entendu, jusqu'à son retour. Ne t'inquiète pas Marie, il va finir par rentrer, la rassura-t-il en lui prenant la main.

— Merci beaucoup de votre sollicitude, mon père, j'ai tellement peur qu'il lui soit arrivé quelque chose de grave.

— N'aie pas de mauvaises pensées Marie, tout va rentrer dans l'ordre, tu verras, mais il faut que tu restes calme et que tu te reposes. N'oublie pas que tu attends un enfant. Et d'ailleurs, je serais vraiment honoré de le baptiser, ce petit.

Il se mit à lui sourire pour essayer de dissiper ses doutes et ses peurs. Marie lui serra un peu plus la main avant de lui poser une question.

— À propos, il y a quelques événements particuliers qui me tracassent, puis-je vous en parler ?

— Oui bien sûr, je t'écoute, parle sans crainte.

— Eh bien ! voilà ! j'ai remarqué que mon bébé devenait très agité à certains moments de la journée où est-ce peut-être dans certains endroits, je ne sais pas. Tenez par exemple ce matin en allant à la messe, c'était le cas, quand nous sommes passés devant le cimetière, et au retour aussi. Bizarrement, le bébé s'est mis à s'agiter plus que d'habitude, d'ailleurs c'est là que j'ai eu mon malaise d'après ce que m'a dit John. Tout à l'heure, je suis allée voir dans le grenier, car je sentais comme une attirance presque incontrôlable. Une fois à l'intérieur, le bébé s'est mis à bouger rudement fort, j'ai dû sortir rapidement tellement j'étais prise de contractions horriblement douloureuses.

— Ne crois-tu pas que c'est seulement une coïncidence ? s'étonna le père Abel.

— Non je ne pense pas, car chaque fois que je passe devant cette porte, j'éprouve un réel et profond mal-être.

— C'est étrange en effet. Veux-tu que nous allions voir dans ce grenier pour te rassurer ?

Marie hésita un instant avant de répondre.

— Je veux bien essayer, mais je ne vous garantis pas que j'aille au bout.

— Ne t'en fais pas, si tu ne te sens pas bien, dis-le-moi et nous ressortirons aussitôt, mais je suis sûr que tu te fais beaucoup d'idées pour rien.

Comme les combles n'avaient pas de lumière, cette fois, Marie prit soin de prendre une lampe de poche. Ils montèrent les marches lentement puis s'arrêtèrent devant la porte. Le Père tenait la jeune femme par la main. Il put ressentir son énervement et son état très anxieux.

— Tu es sûre de vouloir y aller ? s'assura-t-il.

— Je pense que oui. J'ai vraiment envie de savoir ce qu'il y a et pourquoi je réagis ainsi.

Abel ouvrit la porte, monta les marches en prenant soin de ne pas lâcher Marie. Ils entrèrent ensemble.

Ils avancèrent prudemment. Elle se sentait un peu plus rassurée en compagnie du prêtre, mais le bébé, lui, était très énervé. Il bougeait comme jamais et les douleurs ne tardèrent pas à se faire ressentir.

Ils progressaient dans cette pièce où se trouvait un tas de vieilles planches posées debout, au fond du grenier le long du mur. Plus ils allaient dans cette direction, plus l'enfant remuait et Marie se sentait de moins en moins bien. Elle le signala au père Abel et décida de s'asseoir sur la vieille malle en continuant de l'éclairer, car lui voulait poursuivre son exploration.

Après quelques pas, arrivé au fond de la pièce, il déplaça les planches une à une. Il découvrit un mur en pierre avec des inscriptions et des signes qui lui était totalement inconnu. Il en fit part à Marie, qui décida quand même de se lever pour aller voir. Elle était surtout poussée par la curiosité de cette découverte.

Elle arriva au niveau du père et repéra un étrange pictogramme sur le côté.

— Vous avez vu ? lui fit-elle remarquer. Il y a un signe avec des sortes de serpents, vous savez ce que c'est ?

— Je n'en ai pas la moindre idée. La plupart des inscriptions ressemblent à du latin, ou du moins s'en rapprochent, mais ce qui est étrange c'est que pour un érudit comme moi, je ne puisse pas en saisir le sens. Les mots ne veulent absolument rien dire, je n'arrive même pas à décrypter quelques syllabes.

Marie se recula d'un coup en se tenant la tête.

— Il faut que je sorte lui confia-t-elle, c'est trop éprouvant. J'ai mal, je ne me sens pas bien du tout.

— Oui bien sûr, en effet tu es très pâle. Viens sortons d'ici et redescendons, j'y reviendrais plus tard si tu le veux bien.

— Oui, si vous voulez, mais je vous en prie, partons.

Ils redescendirent en toute hâte, et s'assirent sur le canapé. Marie respira profondément, elle se sentait mieux loin de ces combles.

Le Père eut du mal à comprendre ce qu'il s'était passé, car lui ne ressentait aucun malaise. Ils se posèrent beaucoup de questions sur ce qu'ils avaient vu là-haut sans réellement pouvoir apporter de réponses.

*

John poursuivit son avancée dans ce couloir sombre et exigu seulement éclairé de sa torche. Les deux « yeux » lui montraient la direction à suivre dans ce corridor au mur de terre, et au sol boueux. Il passa instinctivement sa main dans ces cheveux et s'aperçut qu'il ne saignait presque plus, cela le rassura un peu. Il le prit comme une bonne nouvelle, malgré la situation angoissante et tendue dans laquelle il se trouvait.

Il continua d'avancer en se retournant de temps en temps, sûrement par crainte de voir quelqu'un ou quelque chose arriver derrière lui.

Cette traversée lui semblait interminable avec ces lueurs qui le fixaient toujours en se déplaçant à son rythme pour qu'il ne se perde pas. En même temps, ce regard le dérangeait terriblement. C'était véritablement un événement paranormal pour lui. Il ne comprenait pas comment cela était possible de se retrouver embarqué dans une histoire aussi absurde et terrifiante à la fois.

Tout à coup, au détour d'une légère courbe, il aperçut au loin une lueur plus intense. Cela ressemblait à plusieurs flammes de bougies, ou de flambeaux, qui vacillaient en projetant des ombres fantomatiques sur les murs, ce qui n'était pas fait pour le rassurer.

Peu de temps après, il se retrouva dans une pièce quelque peu arrondie sans aucune issue apparente. Les deux lumières s'étaient arrêtées très proches de son regard, et le fixaient comme si elles s'évertuaient à lire en lui. Peut-être cherchaient-ils à lui envoyer un message ou lui faire comprendre quelque chose ?

— Quelle horreur ! pensa-t-il.

Ce petit jeu dura un bon moment. Brusquement, les « yeux » reculèrent pour aller s'installer sur un trône qui se trouvait au beau milieu de cette salle totalement vide.

John eut un mouvement de recul quand il vit les deux yeux de lumières se transformer en un spectre de brume semblable au nuage qui avait provoqué le malaise de sa femme.

Soudain, il lâcha sa lampe sous le coup de l'effroi. Il ne put prononcer un seul mot en voyant petit à petit un corps se reconstituer. Il vit des morceaux de muscle, de veines, de peau s'ajouter sur un squelette carbonisé, pour former un être décharné et fumant, qui n'avait plus rien d'humain.

Il comprit désormais d'où venait cette odeur fétide qu'il avait sentie avant de tomber dans ce trou. Il ne pouvait s'empêcher de s'en vouloir, car sa curiosité l'avait emmené dans un endroit qu'il n'aurait jamais osé imaginer, pas même dans ses pires cauchemars.

L'être abject dévisagea John qui avait tant de mal à le regarder tellement le dégoût l'envahissait et lui donnait la nausée. Soudain, il entendit une voix semblant venir d'outre-tombe résonner fortement dans la pièce. L'entité tentait de communiquer.

*

La nuit commençait à être bien avancée quand Marie, totalement épuisée, s'excusa auprès du père Abel. Elle devait aller se reposer et essayer de dormir un peu, elle en avait grandement besoin.

— Je vais me coucher mon Père, mais je vous en prie si cela ne vous dérange pas ne partez pas, je ne veux pas rester seule.

— Je comprends, ne t'inquiète pas. Je vais rester ici je n'ai rien d'autre à faire. Si le téléphone sonne, ne t'en fait pas je viendrais t'avertir. Tu as raison va te reposer, dors un peu Marie. Il est grand temps maintenant, après toutes ces émotions.

Après avoir salué le prêtre, Marie monta dans sa chambre l'air très triste d'y aller seule sans son mari. Après être passée dans la salle de bain et avoir endossé sa chemise de nuit, elle se glissa dans son lit en ayant une pensée pour John.

Lorsqu'elle se retourna du côté où il dort habituellement, elle posa sa main sur son oreiller en éprouvant une sensation de vide, d'abandon. Des larmes commençaient à couler sur ses joues.

— Où es-tu mon chéri ? pensa-t-elle, j'ai besoin de toi, ne me laisse pas seule, on a une vie à vivre ensemble. Je vous en prie mon Dieu, faites qu'il ne lui soit rien arrivé de grave et qu'il me revienne vite, il me manque tellement.

Sur ces mots, la fatigue commença à la gagner, et ses yeux remplis de larmes se fermèrent doucement.

Le père Abel en profita pour se reposer aussi. Il s'installa confortablement sur le canapé et essaya de dormir un peu. Mais plus les minutes passaient, moins il arrivait à trouver le sommeil. Il était préoccupé par ce qu'il avait vu dans le grenier. Il se leva pour chercher un verre d'eau dans la cuisine. En pensant aller se recoucher, il regarda avec curiosité l'escalier qui menait aux combles. Il s'immobilisa devant les marches, son verre d'eau à la main, en se parlant à haute voix. Quelque chose l'intriguait, ne le lâchait pas, c'était plus fort que lui.

— Bon, puisque je n'arrive pas à dormir je ne vois pas pourquoi je me priverais de retourner voir ces inscriptions. Peut-être pourrai-je décrypter quelque chose, ne sait-on jamais, et puis cela m'occupera.

Il posa son verre et reprit la lampe de poche que Marie avait laissée sur la table, ainsi qu'un calepin et un crayon de papier qui se trouvait à côté du téléphone. Il monta l'escalier doucement en évitant de faire trop de bruit. Il ne voulait pas la réveiller, elle était déjà assez fatiguée comme ça. Il n'avait pas besoin de sa présence d'autant plus qu'elle ne supportait pas cet endroit. Il arriva devant la porte du grenier, l'ouvrit, monta les dernières marches grinçantes en marquant un temps d'arrêt. Il avait eu peur de l'avoir réveillée à cause de ce bruit inattendu. Il écouta un instant, mais n'entendit pas Marie se lever, alors il avança vers le fond du grenier en s'éclairant avec la lampe.

Une fois arrivé devant ce fameux mur, il se mit à l'inspecter consciencieusement. Il remarqua qu'il y avait environ une dizaine de mots à côté du signe représentant les deux serpents. Il voulait recopier le tout avec application, pour pouvoir les étudier plus tard. Il en était à la moitié, quand sa tâche fut interrompue soudainement par un bruit de pas sur le plancher, juste derrière lui. Il resta figé un moment. Il se retourna lentement en prenant soin d'éclairer son champ de vision pour ne pas être surpris. Il sursauta en voyant quelqu'un devant lui.

— Ah ! c'est toi Marie ? Mon Dieu ! comme tu m'as fait peur, je croyais que tu dormais. Mais que fais-tu donc là en chemise de nuit, tu vas attraper froid ; tu es sûre que tout va bien ?

Elle ne réagissait pas, et fixait le père Abel avec un regard insistant, glacial nimbé de méchanceté.

— Que se passe-t-il, Marie ? Pourquoi me regardes-tu ainsi ? Mais réponds-moi, s'il te plaît !

Elle ouvrit insensiblement la bouche. Une légère brume en sortit accompagnée d'une voix étrange et sépulcrale, au rythme très lent.

— Que fais-tu maudit prêtre ? Tu n'as pas le droit, ceci n'est pas pour toi. Tu n'es pas digne de connaître ces enseignements, tu n'es pas l'être choisi.

— Co... comment ? Que dis-tu ? Ce... ce n'est pas toi Marie, qui êtes-vous ?

— Peu importe, tu le sauras bien assez tôt. En attendant, je t'ordonne d'arrêter tout de suite. Ce message ne t'est pas destiné. Oublie-le... oublie-le... Oublie, s'exclama-t-elle d'une voix menaçante.

Le Père s'effondra aussitôt. Le crayon de papier ainsi que le calepin sur lequel il prenait des notes tombèrent à ses côtés, et se consumèrent en une fraction de seconde pour finir en un petit tas de cendres. Les planches qu'il avait enlevées plus tôt dans la soirée se remirent en place, et se scellèrent sur le mur pour en dissimuler les signes inscrits.

Marie retourna dans sa chambre en marchant telle une somnambule, et se recoucha sans se rendre compte de ce qui venait de se passer.

Abel se réveilla quelques instants plus tard dans le grenier en se demandant ce qu'il faisait ici. Il n'en avait aucune souvenance. Il se rappelait juste être allongé sur le canapé pour ne pas laisser Marie seule dans la maison.

Intrigué, étourdi, il ramassa la lampe qui était tombée à côté de lui, se releva et redescendit pour s'asseoir sur une chaise en essayant de comprendre pourquoi et comment il était monté là-haut. Il n'en avait absolument aucune idée, comme frappé d'une amnésie durant ces quelques instants passés dans ce maudit grenier.

De cette chaise, il fixait l'escalier puis la porte du grenier, en se posant de nombreuses questions, mais aucune réponse en retour, rien ne lui venait. Il se releva et s'installa sur le divan en fixant le téléphone puis la porte d'entrée. Le calme était vraiment pesant. Il aurait bien aimé entendre une sonnerie ou quelqu'un frapper.

Il se recoucha en essayant de dormir sur le canapé, en espérant que John donne de ses nouvelles rapidement. Marie avait besoin d'être rassurée.

Chapitre 4

— Je suis le chevalier Pelham d'Orcival.

Cette voix spectrale venait du trône où était installé l'être décharné et répugnant que John ne parvenait pas à regarder fixement. Son visage laissait voir des morceaux de chairs putréfiés et purulents, comme tout le reste de son corps d'ailleurs. N'importe quelle personne aurait eu la nausée en le voyant. La répugnance avait atteint son apogée.

John réussit, après quelques efforts, à retrouver timidement de sa voix.

— Je... je ne comprends pas ! Où suis-je ? Pourquoi... ?

Pelham l'interrompit sans ménagement.

— Tais-toi ! Tu n'as rien à dire. Écoute-moi.

John chuchota un oui à peine audible.

— Je suis dans ce cimetière depuis mon trépas en l'an mille quatre cent soixante et onze. J'ai été condamné au bûcher pour soi-disant purifier mon âme, et je n'ai jamais trouvé le repos éternel. J'ai été maudit jusqu'à la fin des temps, mais ceci peut prendre fin grâce à toi, du moins à ton enfant.

John était aussi terrorisé par cette abominable vision que par ce qu'il venait d'entendre. Il ne comprenait pas ce que sa famille avait à voir avec ce chevalier. Il pensa même qu'il était en train de faire un cauchemar, mais la réalité était toute autre. L'odeur de brûlé et de mort le ramena à une vérité bien funèbre.

— La maison où tu habites fut la mienne et celle de mes descendants depuis cette époque. Aucune personne autre que ceux de ma dynastie n'y a vécu jusqu'à ta venue. Tu es le premier étranger à y résider. J'attendais depuis longtemps ce moment. Puisque tu es là, je vais te dire de quoi il retourne. Pour briser la malédiction afin que moi et les miens soyons en paix, il faut qu'un enfant issu d'une autre famille naisse dans ce village, dans cette demeure précisément. Il devra faire le bien autour de lui grâce à mes pouvoirs qui n'ont semé qu'épouvante, violence et trépas en mon temps. C'est le destin de ton fils désormais. Par contre, il devra savoir faire la différence entre le bien et le mal, il ne devra pas être attiré par la facilité d'être maléfique. Mes pouvoirs essaieront de le corrompre, ils ont tué tant de personnes et en ont rendu fous plus d'un. Il devra lutter pour rester bon et ne pas succomber aux ténèbres. C'est le seul moyen pour lui de survivre, et pour moi d'être libéré de cette imprécation. C'est la volonté de l'église et je n'y peux rien, c'est sa destinée. Cela aurait pu être une autre famille qui aurait acheté cette maison, mais à présent c'est la tienne. Il faudra que vous l'acceptiez.

John eut peur de comprendre, et se posa beaucoup de questions. Pourquoi eux ? Pourquoi ont-ils choisi précisément d'acheter cette maison alors qu'il y en avait plusieurs en vente ? Cela était-il vraiment leur destinée ou alors un choix malheureux qui allait leur coûter leur petite vie tranquille dont ils rêvaient depuis toujours ? Il cessa aussitôt d'y penser sachant que cela ne changerait rien et ne menait à aucune solution. Le mal était fait, du moins ce qu'il en avait compris, c'était encore très flou dans son esprit.

— Je sens que tu voudrais me poser une multitude de questions, remarqua le chevalier, mais ce n'est pas le moment et surtout cela concerne en particulier l'enfant qui viendra au monde. Il saura tout en temps voulu. Il devra apprendre, découvrir, et se servir de ses pouvoirs seul. Quant à toi, tu n'aurais jamais dû venir ici, tu es entré dans cette tombe avant que je ne puisse la refermer. Ta femme a déjà absorbé une partie de mes connaissances qui ont été transmises à l'enfant. Maintenant, vous ne devez plus rien savoir de moi ni de mon histoire, cela ne vous concerne en rien. Je vais te renvoyer là-haut, et à partir de ce moment-là, tu auras tout oublié. Un jour viendra où le moment de t'en souvenir sera venu. Là, tu comprendras et soutiendras au mieux ton fils. Adieu.

— Mon fils ? mais nous ne savons pas encore…

John n'eut pas le temps de terminer sa phrase. Il tomba lourdement sur le sol boueux, au pied du trône. Le chevalier marmonna quelques mots dans une langue incompréhensible. Le corps de John, inanimé, se dissipa comme par enchantement et refit son apparition en dehors de la tombe, sur les marches de l'église.

*

Le jour commença à se lever sur le village encore endormi. John ouvrit les yeux et vit qu'il était allongé sur l'escalier devant les lourdes portes du lieu saint. Il était perdu, couvert de boue et frigorifié, il essayait de recouvrer ses esprits. Il se demandait ce qu'il faisait ici, dans cet état pitoyable avec un mal de tête horrible.

Il se leva avec difficultés en s'appuyant aux murs de l'église. Il essaya d'avancer dans la ruelle pour rejoindre sa maison, car si lui se trouvait dehors, couché par terre à une telle heure, il se demandait ce qu'il avait bien pu advenir de sa femme. Il progressa péniblement. Il souffrait, il avait l'impression que chaque os de son corps était brisé. Il ignorait tout de sa vertigineuse chute qui lui avait valu de très nombreuses contusions.

Marie se réveilla en s'étirant sur son lit, ne voyant pas son époux à ses côtés, sa tristesse et sa mélancolie reprirent vite le dessus. Elle se leva, se rendit à la salle de bain qui jouxtait sa chambre pour se changer, se rafraîchir un peu, et descendit l'escalier. En bas dans la cuisine, le père Abel préparait du café pour le petit déjeuner.

— Bonjour, mon père, lança-t-elle, avez-vous réussi à dormir ?

— Pas vraiment, Marie. Je me sens assez bizarre. Et toi as-tu réussi à te reposer un peu ?

— Oui, curieusement j'ai passé une excellente nuit, mais mon mari n'est toujours pas rentré à ce que je vois, je suis vraiment inquiète.

— Désolé, Marie. Je n'ai aucune nouvelle non plus et personne n'a téléphoné.

Le père Abel, l'air préoccupé, n'osa pas lui dire ce qui s'était passé dans le grenier. Il ne servait à rien de l'inquiéter plus qu'elle ne l'était déjà.

Ils s'installèrent à table pour prendre leur café et manger un petit quelque chose, même si l'appétit n'était pas vraiment au rendez-vous. À cet instant, ils entendirent un bruit venant de la porte d'entrée, comme si un animal grattait pour rentrer.

— Que se passe-t-il ? demanda Marie, l'air effrayé.

— Ne bouge pas, je vais aller voir.

Il se dirigea vers la porte, la déverrouilla. En l'ouvrant il vit John un genou à terre, se tenant péniblement le long du chambranle, totalement épuisé.

— Vient vite m'aider Marie, il est là.

Elle sortit de la cuisine en toute hâte et aperçut son mari, par terre, dans l'embrasure de la porte.

Elle cria son nom et s'empressa de le rejoindre. Lorsqu'elle arriva à sa hauteur, elle fut prise de sanglots en voyant son état.

Ses vêtements déchirés étaient mêlés de boue et de sang séché. Ils s'empressèrent de le relever et de l'emmener au salon. Ils l'allongèrent sur le divan. Marie alla chercher le nécessaire pour le nettoyer tandis que le père Abel appela le médecin. Il était très inquiet pour sa santé.

Le docteur Fabri arriva assez rapidement, car il était au courant de la disparition de John depuis la veille, tout comme le reste du village d'ailleurs.

Marie lui avait enlevé ses vêtements souillés et lui avait mis un peignoir pour qu'il puisse se réchauffer.

Le médecin en le voyant eut une question qui lui brûlait les lèvres :

— Qu'as-tu fait pour te mettre dans un tel état mon pauvre ami ?

— Je ne sais pas, murmura John, l'air encore abasourdi. Je me suis réveillé sur les marches de l'église avec un mal de tête terrible, et le reste du corps complètement endolori.

— Ne t'inquiète pas, reste tranquille. Je vais t'examiner.

Il remarqua sa plaie à la tête. Il vit qu'il était bien ouvert et qu'il y avait un petit suintement. Il désinfecta et lui fit quelques points de suture. En regardant ses bras, ses jambes et son torse, il vit une multitude d'ecchymoses, dont certaines assez importantes. Marie eut du mal à retenir ses larmes en voyant son mari couvert de bleu violacé. Il lui cueillit la main et la réconforta. Ils étaient de nouveau réunis et c'est ce qui comptait le plus.

Le père Abel salua tout le monde et retourna dans son presbytère. Lui aussi avait beaucoup de questions en tête. Ce fut au tour du docteur Fabri de prendre congé de son patient, il lui avait fait une ordonnance pour lui prescrire une pommade à base d'arnica pour les ecchymoses et des antidouleurs.

Avant de partir, il leur fit promettre de passer à son cabinet si le besoin s'en faisait ressentir. Il encouragea John à rester tranquille quelques jours, et surtout à se reposer sans se poser trop de questions pour le moment. Sa mémoire lui reviendrait sûrement très bientôt.

John et Marie se retrouvèrent seuls et enfin ensemble. Ils en étaient parfaitement heureux, mais aucun des deux n'osait parler de ce qui s'était passé.

Pourquoi ces malaises ? Pourquoi s'était-il retrouvé devant l'église dans l'état d'un homme qui aurait été roué de coups sans raison ?

Pourquoi Marie se sentait-elle si mal dans sa peau à cause de sa grossesse ?

Le mystère régnait autour de cette nuit si difficile et douloureuse, toutes ces questions resteraient sans la moindre explication, du moins pour le moment.

John avait été au courant pendant un instant de ce qui allait arriver à leur enfant. Il ne pouvait même pas en parler à sa femme. Il ne se souvenait aucunement de sa rencontre avec ce chevalier et de l'histoire qui lui avait raconté.

Son état le rassurait peu. Aucun souvenir de cette soirée. Il alla jusqu'à se demander s'il n'avait pas commis quelque chose de grave. Il espérait que non. Les jours à venir lui apporteraient sûrement des réponses.

Chapitre 5

Pelham d'Orcival errait toujours dans les catacombes. Il n'était pas satisfait de la découverte qu'avait faite le curé du village, à propos des signes inscrits sur le mur du grenier. Même s'il ne se souvenait de rien, il savait que ce n'était que temporaire. Qu'allait faire Abel lorsque sa mémoire lui reviendrait ?

Il retournerait sûrement dans ce grenier pour essayer de déchiffrer les inscriptions. Il continuerait à mettre son nez dans ce qui ne le regarde pas en risquant de compromettre les plans machiavéliques de Pelham. Non, cela il ne le voulait pas. Il devait à tout prix l'empêcher de rôder autour de la maison quitte à employer des moyens draconiens.

Il quitta son trône, reprit sa forme de brume initiale. Il flotta jusqu'à l'entrée de la tombe où étaient inhumés ses anciens compagnons d'infortune, à l'endroit même où avait atterri John bien malgré lui.

Il y avait treize cercueils : celui de Pelham et douze autres dans lesquels reposaient les chevaliers qui faisaient à l'époque partie de sa milice. Lui était doté de pouvoirs très puissants de magie noire et autres incantations ténébreuses ne servant qu'à répandre la terreur, la désolation, et la mort sur son passage. Ses douze compagnons eux ne possédaient aucune capacité occulte. Ils étaient seulement sa garde rapprochée, et occasionnellement d'infâmes tueurs entraînés à faire disparaître toutes traces et tous témoins de ses méfaits diaboliques.

Pourtant un jour, un prêtre plus malin et plus futé que la moyenne mit fin à ses agissements. Il l'avait enfermé avec ses hommes dans une maison dont il avait fait courir le bruit qu'elle était celle d'un très riche marchand. Cette rumeur ne manqua pas d'attirer ce chevalier avide de richesses. En principe, il prenait ce qu'il désirait, souvent au détriment de la vie de son propriétaire. Cela ne lui posait aucun problème. Mais ce qu'il ne savait pas, c'est qu'un enchanteur et grand sorcier de l'époque avait été emmené dans cette maison pour y jeter un charme. Cet envoûtement lui bloquerait tous ces pouvoirs et empêcherait quiconque de ressortir une fois à l'intérieur.

Dès qu'ils furent tous entrés dans cette auguste bâtisse, le sort du mage fit son effet. Phelam ne s'était pas méfié. Son égocentrisme et sa condescendance l'empêchaient de penser qu'un jour quelqu'un pourrait le piéger. Il regarda par la fenêtre et vit une gigantesque armée de soldats. Il comprit très vite ce qui arriva quand il voulut se servir d'un de ses sorts pour les exterminer. Il vit une lueur sortir de ses mains et s'éteindre presque instantanément, rien ne se passait. Il savait que cette demeure serait l'endroit où cesseraient leurs vies de marchand de morts.

Le prêtre s'adressa à lui de l'extérieur.

— Pelham d'Orcival tu es prisonnier en ces lieux. Tu n'auras pas de procès, tes actes de barbarie sont connus dans toute la région. Aujourd'hui même, tout va s'arrêter avec ta purification. Toi et tes compagnons des ténèbres vous allez être brûlés vifs dans cette maison qui sera votre dernière demeure. Vos cendres seront mises dans un caveau au cimetière du village. Pelham pour tous tes crimes causés par ta magie, tu seras maudit pour l'éternité. Tu ne trouveras jamais la paix, ni toi ni tes descendants. Ton âme sera persécutée sans cesse par mille tourments. La seule issue, pour ton salut et celui de tes amis, est de profiter de ta mort pour faire le bien, mais sans l'aide de quiconque provenant de ta lignée. Tu devras t'en remettre à un étranger, peu importe le temps que cela prendra, et si tu y parviens alors ta malédiction cessera.

Le chevalier hurla sa colère et sa contestation, en vain. Le prêtre ordonna aussitôt aux archers de mettre le feu à la maison. Ils passèrent au-dessus d'une flamme leurs pointes incendiaires entourées d'une étoupe imprégnée de poix. Ils décochèrent des dizaines de flèches sur la maison qui s'embrasa aussitôt. On y entendit des cris déchirants de douleurs et de souffrance. Au travers des fenêtres garnies de barreaux, on voyait les chevaliers se jeter sur les murs et les vitres pour mettre fin à leurs supplices par tous les moyens. Le curé et le sorcier admirèrent cette scène avec une satisfaction non dissimulée, jusqu'aux derniers gestes ou soubresauts des condamnés à mort. Puis plus rien. Plus de cris. Le calme était revenu. Seul le crépitement des flammes dévorant les derniers rondins de bois se fit entendre. C'en était fini de cette macabre chevauchée. La sérénité allait revenir dans la région, grâce à cet homme d'Église.

C'est ainsi qu'il avait profité de son errance dans l'au-delà pour mettre au point ce procédé avec les Delson. Mais personne d'autre que cette famille ne devait rien savoir, surtout pas un curé, qui fut à l'origine de sa déchéance. Le père Abel était donc un risque pour lui, il ne voulait pas qu'il devienne un obstacle.

*

John avait passé une très mauvaise nuit. Ses douleurs à la tête et sur la majorité de son corps l'avaient empêché de fermer l'œil.

Le soleil se levait quand Marie en fit de même. Elle ne faisait pas de bruit pour le laisser se reposer. Son mari s'était endormi depuis peu. Elle voulut lui déposer un baiser sur les lèvres lorsqu'il ouvrit les yeux.

— Je suis désolée mon chéri, chuchota Marie. Je ne voulais pas te réveiller.

— Ne t'en fais pas, la rassura-t-il, je ne dormais pas profondément de toute façon.

— Tu souffres beaucoup ? Je t'ai entendu cette nuit, tu n'as pas arrêté de bouger.

Il essaya tant bien que mal de se redresser un peu.

— Oui, j'ai l'impression d'être brisé en mille morceaux.

— Je vais te chercher ton petit déjeuner si tu veux, lui proposa-t-elle.

— Non, je te remercie. Je vais essayer de descendre.

John arrivait à se mettre au bord du lit avec l'aide de Marie. Il fit une grimace qui ne laissait aucune place au doute, il endurait un calvaire. Il regarda sa femme, elle le comprit sans parler. Elle prit ses jambes pour les remettre sur le lit et le recouvrit pour qu'il soit bien au chaud. Elle lui souriait en ayant une peine immense de voir son mari dans cet état, mais ne le montrait pas. Elle voulait être forte pour lui.

— Je vais te monter à manger. Repose-toi mon chéri, lui glissa-t-elle à l'oreille avant de l'embrasser.

Les quelques jours suivants furent très éprouvants pour John, il avait passé plusieurs jours dans son lit à se reposer. Il commençait à remarcher normalement, son état et son moral s'amélioraient doucement.

Ils se reposaient dans le salon en se tenant la main comme s'ils craignaient d'être séparés à nouveau. L'heure du déjeuner arriva.

— Que veux-tu manger ce midi, lui demanda-t-elle ?

— Je n'ai pas très faim ma chérie, je préfère aller m'allonger.

— Je comprends très bien, acquiesça Marie.

Elle l'embrassa tendrement, puis il monta dans la chambre pour se reposer.

Une fois seule, elle alla dans la cuisine et se fit un petit repas. Marie adorait cuisiner. Pour briser le silence de la solitude, elle décida d'allumer la télévision et s'installa sur le canapé pour déjeuner. Ils diffusaient un reportage sur les différentes croyances et écritures anciennes, ce qui lui fit repenser aux signes inscrits sur le mur du grenier. Elle se dit qu'en fait ces inscriptions étaient peut-être tout simplement des dessins ou des gribouillages d'enfants d'une quelconque famille ayant occupé cette maison avant eux. Elle cherchait à se rassurer le plus possible.

Elle voyait que le soleil se montrait généreux. Elle éteignit la télévision et décida d'aller dans son jardin pour enlever les mauvaises herbes qui avaient envahi ses plantations. Elle ne pouvait pas s'acquitter de cette tâche en travaillant à la boulangerie. Maintenant qu'elle était en congé de maternité, elle pouvait remettre un peu d'ordre autour de ses fleurs et ses différents légumes. Elle se changea, passa une tenue plus adéquate pour le jardinage en prenant soin de mettre un chapeau. En ce début du mois de septembre, les journées étaient encore bien ensoleillées. Elle entra dans l'abri de jardin pour y prendre quelques ustensiles et commença à désherber.

En travaillant, elle repensa à John et se dit qu'il n'irait sûrement pas à la coutellerie pendant plusieurs jours. Il lui faudrait bien ça pour se remettre totalement de cette terrible épreuve.

Elle trouva qu'il faisait chaud avec ce beau soleil et se dit que c'était un bel après-midi qui commençait. Cela lui redonna un peu de joie de vivre, et elle savait que son mari n'était pas loin cette fois.

*

Le père Abel s'affairait dans son presbytère. Entre les confessions, les finances de la paroisse à gérer et ces petits tracas du quotidien il n'avait pas une seconde à lui.

Aujourd'hui, il décida d'entretenir un peu son jardinet qu'il avait laissé à l'abandon depuis quelque temps. Tout en préparant sa tondeuse, il ne put s'empêcher de repenser à cette nuit chez les Delson. Il n'aimait pas cette incompréhension qui le hantait chaque jour. Pourquoi s'était-il retrouvé dans ce grenier, allongé par terre, sans aucun souvenir de sa venue dans cette pièce ?

Il se mit à couper l'herbe tout en se concentrant sur ce qui le dérangeait. Pour cela, il décida de se remémorer cette singulière soirée.

— Bon, je suis arrivé chez Marie, nous avons parlé de John, de tout et de rien et même de son grenier.

Il marqua un temps d'arrêt.

— Ah oui, pourquoi m'a-t-elle parlé de cela déjà ? Je crois que c'était par rapport à une étrange sensation qui la parcourait lorsqu'elle s'en approchait. Mais pourquoi et comment se fait-il que je m'y sois réveillé ? Il faudrait que je leur demande l'autorisation d'y retourner, cela pourra m'aider à comprendre certaines parties obscures de cette soirée.

Sur ce, il continua la tonte de sa pelouse en essayant toujours de se souvenir du petit détail qui pourrait le mettre sur la voie de la compréhension. Ce questionnement incessant et la recherche de la vérité du curé mettaient hors de lui Pelham. Il surgit précipitamment de son cercueil et flotta au-dessus, fou de colère.

— Que fait-il ce maudit prêtre ? Retrouverait-il la mémoire ? Essaierait-il de se souvenir ? Il ne faut pas, je ne le veux pas, non il ne doit pas retourner dans ce grenier. Il n'est pas le bienvenu dans ma maison. Je ne veux pas qu'il découvre quoi que ce soit qui pourrait contrarier mes projets, Pas question !

Il déversa des torrents de haine et d'insultes sur le père Abel, avec une voix effrayante et puissante, qui fit trembler tout le caveau. Des morceaux de terre se détachèrent des murs. Les dalles recouvrant les autres tombes se déplacèrent et se brisèrent au sol. Les épées et autres casques et écus explosèrent comme de vulgaires poteries en terre cuite. Un violent tourbillon de poussière s'élevait des cercueils désormais ouverts. Les douze compagnons de Pelham se levèrent. Ils se changèrent en brume à leur tour, comme si ce cri était l'appel d'un chef à ses troupes pour préparer un combat dantesque.

Les affidés du chevalier ondoyaient hors de leurs sépultures avec leurs yeux brillants et terrifiants à la fois.

— Mes compagnons, hurla-t-il, le moment est venu, ce que je redoutais va arriver. Ce satané homme d'Église va nuire à mon projet, à notre projet. Il faut agir et protéger cette famille de toute incursion extérieure dans ma maison, du moins de la leur maintenant. Personne d'autre que les Delson ne doivent trouver tout ce que renferme cette demeure, car c'est ce qui aidera à l'éducation de leur enfant. Tous les secrets du grenier, de la cave, et des autres endroits, devront rester cachés ni être connus du père Abel ainsi que le reste du village. Nous agirons cette nuit mes amis, ce n'était pas prévu, mais c'est le seul moyen pour gagner le salut de nos âmes.

L'assemblée acquiesça dans un grondement de satisfaction et se rendit à la salle du trône, précédé de Pelham.

*

L'après-midi était bien avancé quand John sortit de la maison pour rejoindre sa femme dans le jardin.

— Ça va ma chérie, j'espère que tu ne te fatigues pas trop au moins.

— Ne t'inquiète pas, le rassura-t-elle, je vais bien et je prends le soleil en même temps. Et toi tu te sens mieux ?

— Oui, ça commence, je suis encore un peu courbaturé, mais beaucoup moins fatigué déjà. Quelle singulière sensation de ne pas savoir si je me suis fait agresser ou pas, et pourquoi si c'est le cas ? Cela me perturbe quand même, nous n'avons que des amis ici.

— Bien sûr que oui je comprends tes inquiétudes mon amour. À force, tu te souviendras peut-être. Les chocs que tu as subis ont provoqué une légère amnésie. Arrête de te faire du souci, tu recouvreras la mémoire, mais il te faudra du temps, mon chéri. Si ça ne va pas, nous retournerons voir le docteur Fabri.

— Tu dois avoir raison, il faut être patient. Tiens, remarqua-t-il, on entend la tondeuse du père Abel, en plein jardinage lui aussi !

Elle le regarda et esquissa un sourire avant de continuer à sarcler les mauvaises herbes.

— Bon, comme je ne reprendrais pas mon travail tout de suite, je vais essayer de m'occuper. Je vais aller ranger le grenier, depuis le temps que je dois le faire c'est l'occasion ou jamais. Si tu as besoin je suis là-haut ma chérie.

— D'accord, mais fais attention à toi.

Elle décida de ne pas lui dire ce qu'elle ressentait lorsqu'elle était dans cette pièce. Elle le trouvait assez préoccupé comme ça pour le moment.

John passa d'abord à la cave pour prendre un projecteur et une grande rallonge pour avoir les mains libres en ayant assez de lumière pour travailler. Il monta les marches en prenant soin de dérouler le fil électrique qu'il avait branché en bas. Une fois dans les combles il accrocha le projecteur à côté de la porte sur un vieux clou qui était planté dans le mur, sûrement depuis très longtemps d'ailleurs. Il appuya sur l'interrupteur, la pièce se remplit rapidement d'une lumière vive et blanche.

Il regarda aux alentours en poussant un soupir de découragement. Il essaya de trouver un peu d'enthousiasme. Sa tâche était loin d'être évidente. Lorsqu'ils avaient emménagé, ils avaient tout entassé dans un désordre indescriptible se disant qu'ils auraient bien le temps de ranger ça plus tard.

Il commença à déplacer quelques cartons en regardant à l'intérieur et parfois en se demandant comment il était possible de garder tant de choses plus ou moins utiles. Il les déposa vers le mur du fond devant les planches qui y étaient déjà fixées, et continua jusqu'à ce que tout soit bien empilé.

Ensuite, il s'attaqua aux différents petits meubles qu'ils avaient entreposés devant le mur qui se trouvait en face de la porte. En déplaçant une très vieille et très lourde commode pleine de vêtements dont ils n'avaient plus l'utilité, il aperçut comme une petite cavité sur une partie du mur.

En regardant de plus près, il vit que c'était une empreinte de main creusée à même la pierre. Il la toucha et remarqua qu'il ne pouvait pas y apposer la sienne. Elle correspondait à celle d'un enfant. Il resta un moment à l'observer en se demandant qui aurait bien pu tailler ceci dans la pierre et surtout pourquoi. Comme il savait que la maison était très ancienne, bien que rénovée récemment, il pensait qu'elle devait être là depuis très longtemps et qu'à cette époque cela avait peut-être une signification. Il n'insista pas plus et continua son rangement en faisant attention de ne rien mettre devant cette découverte.

— John ! s'écria Marie, est-ce que tu as fini de bricoler ? Tu vas bientôt redescendre ?

— Oui ma chérie, je n'en ai plus pour longtemps.

— D'accord, je t'attends.

Marie décida d'arrêter de jardiner pour se reposer. Son bébé était très remuant depuis quelques instants. Elle s'allongea sur le canapé et entendit que John déplaçait apparemment beaucoup de choses vu le bruit qui provenait du grenier. Il descendit peu de temps après pour se désaltérer. En se rendant dans la cuisine, il vit sa femme étendue dans le salon et se rendit près d'elle, en étant toujours inquiet pour sa santé quand il la voyait ainsi.

— Ça va, tu te sens bien ?

— Oui, juste un peu de fatigue, et le bébé qui a envie de bouger. Ne t'inquiète pas.

— Bon tant mieux. Au fait, j'ai trouvé quelque chose d'étrange dans le grenier.

Marie s'assit intriguée, croyant qu'il allait lui parler des signes inscrits sur le mur du fond.

— Ah bon ! qu'as-tu découvert ?

— Eh bien ! c'est une empreinte dans une pierre du mur qui est en face de la porte, très profonde. Comme si quelqu'un pouvait y apposer sa main, tout du moins un enfant, car elle est petite. Tu veux venir voir ?

Marie hésita un instant avant de lui répondre et décida de lui parler tout de même des écrits sur les pierres.

— Non merci, mais c'est très étrange en effet, c'est comme les signes inscrits au fond du grenier, tu les as vus ?

— Non. En fait, j'ai rangé pas mal de carton devant ce mur qui est recouvert de planches solidement fixées. Je n'ai pas fait attention.

Marie fut très surprise au sujet des plaques de bois, elle savait que le père Abel les avait enlevées pour voir les inscriptions. Qui donc aurait bien pu les remettre en place ? se demanda-t-elle.

Elle ne voulut rien dire à son mari, mais elle sentit une peur indescriptible l'envahir en comprenant que quelqu'un ou quelque chose voulait dissimuler ces signes. Surtout comment était-ce possible ? Personne n'était venu dans le grenier depuis le père Abel. Elle se demandait qui avait accès à leur maison. Elle se sentit tout à coup très angoissée et surtout très effrayée.

Elle venait de se rendre compte qu'ils n'étaient peut-être pas seuls dans cette demeure.

Chapitre 6

Le soir commençait à tomber quand les Delson entendirent frapper à leur porte. John alla ouvrir.

— Bonsoir ! docteur. Qu'est-ce qui vous amène ?

— Bonsoir ! je venais voir comment vous alliez et par la même occasion vérifier ta blessure à la tête avant de rentrer chez moi.

— Bien sûr, entrez donc.

Le médecin salua Marie, et examina avec attention le cuir chevelu de John.

— Bon ! aucune boursouflure, pas de rougeur, remarqua-t-il. Je vais t'enlever tes points de suture. Tu as eu des nausées ou des étourdissements depuis ces derniers jours ?

— Non, mais je ne parviens toujours pas à me souvenir de quoi que ce soit.

— Je pense que c'est dû aux différents traumatismes que tu as reçus, mais tout rentrera dans l'ordre. Un jour, tu pourras mettre des images et une histoire, sur ton escapade nocturne lui expliqua-t-il en posant la main sur son épaule avec un petit sourire complice.

Le praticien se concentra sur les fils qu'il ôta avec application, puis remit un pansement sur sa plaie cicatrisée en ayant pris soin de bien désinfecter avant.

— Et toi Marie, tu te sens bien, pas de problèmes particuliers ?

— Non, docteur, tout va très bien, merci.

— Tant mieux alors. Je vais vous laisser et s'il y a la moindre complication n'hésitez pas à m'appeler. Au revoir.

John le raccompagna sur le seuil de la porte, le remercia en le saluant et retourna voir sa femme.

— Tu vois ma chérie, tout va pour le mieux. Si nous allions dîner qu'en penses-tu ?

— Oui, allons-y, je meurs de faim.

Sur ces mots, Marie se rendit dans la cuisine tandis que John remontait au grenier pour débrancher son projecteur. Avant d'éteindre, il regarda une dernière fois, perplexe, cette empreinte de main sur ce mur. Il haussa les épaules, éteignit, ferma la porte et enroula son câble jusqu'à la cave où il le remit en place. Il remonta et alla aider sa femme pour le dîner.

*

Pelham était en train d'expliquer à ses comparses le déroulement de son plan.

— Dès ce soir mes amis, vous protégerez cette maison. Elle devra être inaccessible aux personnes qui désireraient troubler la suite des événements, en venant fouiner et essayer de comprendre ce qui ne les concerne pas. Ainsi vous prendrez possession des lieux. Les Delson ne se rendront compte de rien. Vous serez leurs protecteurs et ferez planer un sentiment de mal-être, dans et autour de la maison pour tous ceux qui s'y aventureraient avec l'idée de nous nuire. Ils pourraient chercher à étudier et décrire les différents messages destinés à l'enfant. Quiconque de pernicieux approchera, ressentira une peur indescriptible en ayant des visions, et une sensation d'oppression intolérable qui l'obligera à s'éloigner de cette demeure. Nous devons à tout prix protéger nos secrets destinés à l'élu. Lui seul devra posséder tout mon savoir, il en détient déjà une partie. Le reste il devra le découvrir et le maîtriser seul. L'apprentissage sera long et difficile. Il ne sera pas sans risque pour lui, sa famille et tous les habitants de ce village. Préparez-vous mes amis, l'heure est venue.

Les douze chevaliers fuligineux sortirent par un conduit qui était dans la salle souveraine, derrière le trône. Le tuyau serpentait sous terre pour ressortir le long du mur de l'église jusqu'à la toiture. Il n'avait jamais intrigué personne, il ressemblait à une simple gouttière.

Ils se retrouvaient à l'air libre dans le cimetière et volaient en direction du 6 rue des noisetiers.

Une fois sur place, ils se mirent tous autour de la maison. Un voile de fumée noire vint s'installer entre chaque individu pour former un cercle de vapeur luminescente. La demeure était cernée par un écran opaque. Ils levèrent les bras. La foudre, venant du néant, arrivait en eux et se propageait de l'un à l'autre. L'anneau ainsi formé devint électrique et spectral. En un seul et même mouvement, ils s'approchèrent des murs en disparaissant petit à petit à l'intérieur. La maison était désormais enchantée, protégée des fouineurs comme les appelait Pelham, qui était resté sur son trône. Il était satisfait de ce travail accompli.

Le père Abel qui était dehors vit sortir d'étranges ombres du cimetière. Elles tournoyaient et volaient en direction du centre du village. Il était totalement stupéfait et terrifié. Il décida néanmoins de les suivre à bonne distance.

Il se rendit très vite compte qu'elles n'allaient pas si loin de son église. Elles s'étaient arrêtées autour de la maison des Delson. Il se cacha derrière un muret et assista à un étrange manège autour de cette habitation. Les « choses » virevoltaient tout autour en brillant. Elles s'arrêtèrent net pour disparaître à l'intérieur, dans un silence absolu. Le Père se leva d'un bond et resta complètement abasourdi au vu des événements auxquels il venait d'assister. Il s'inquiéta du sort des occupants et décida d'aller aux nouvelles malgré l'heure tardive.

Il s'approcha fébrilement de la porte d'entrée quand soudain il fut pris d'un léger malaise. Il sentit sa poitrine se serrer, son rythme cardiaque s'accélérer et de la sueur coulait de son front. D'un coup, il s'arrêta. Il eut une vision cauchemardesque.

Il voyait le foyer de Marie et John s'embraser. Il entendait des cris provenir de partout. Une odeur de chair brûlée envahissait l'atmosphère, sa vue commençait à se troubler. Il fit quelques pas en arrière, tituba, mais continua de reculer jusqu'à ce qu'il voie la maison d'un peu plus loin en parfait état. Aucun incendie, aucun cri, rien. Sa condition physique redevenait peu à peu normale. Il fit demi-tour et courut jusqu'à son domicile sans se retourner.

Il rentra chez lui, et ferma violemment la porte. Il s'adossa à elle comme pour empêcher quelqu'un d'entrer tellement il était affolé par cette singulière scène. Après avoir repris son souffle, il prit un verre, s'assit et s'interrogea en levant les yeux au ciel.

— Mon Dieu ! que se passe-t-il ? Pourquoi ce malaise et cette hallucination horrible ? Comment cela se peut-il ? Seigneur, voulez-vous éprouver ma foi en vous ? Non, ce n'est pas possible, j'ai bien vu ces esprits rentrer chez ce jeune couple, je ne suis pas fou, mais cette apparition et ces cris, pourquoi ? Aidez-moi mon Dieu. Il me faut prier, je vais de ce pas m'agenouiller devant l'autel.

Il emprunta la porte menant à son église en égrenant nerveusement son chapelet. Il se signa en entrant et s'installa sur le premier agenouilloir se trouvant devant le chœur. Il se mit à supplier le Christ dans un silence absolu, voire inquiétant pour les non-initiés.

En récitant son adjuration, il perçut un genre de craquement. Il se retourna, ne vit rien et reprit. Lorsqu'il entendit de nouveau un bruit, il garda les mains jointes, osa à peine regarder aux alentours. Il préférait se concentrer un peu plus dans sa prière, trop peut-être, car il ne vit pas ce qui arrivait juste derrière lui.

*

Les Delson étaient tranquillement installés devant leur télévision, lorsque Marie ressentit un vif élancement au ventre qui la fit se tordre de douleur pendant un instant. La partie de Pelham qui était dans l'enfant ressentait la présence de ses compagnons. Il se manifesta de la seule façon dont il le pouvait pour le moment, en faisant souffrir sa génitrice.

John s'inquiéta et voulut prévenir le docteur Fabri, mais la main de Marie se posa sur son bras quand il allait décrocher le téléphone pour l'en empêcher. La douleur fut intense, mais brève. Elle se tenait debout à côté de lui, elle ne souffrait plus. Ils se regardèrent tous les deux sans vraiment comprendre ce qui s'était passé. Sans savoir que la maison dans laquelle ils vivaient venait d'être investie par des protecteurs médiévaux. Ils étaient là pour veiller sur eux, et plus particulièrement l'enfant qui allait naître.

Ils discutèrent un peu, Marie avait vite rassuré son époux. Ils continuèrent leur soirée en regardant la suite de leur film. La main de John était posée délicatement sur le ventre de sa femme.

*

Pelham avait quitté son tombeau pour se rendre dans l'église où se trouvait son meilleur ennemi.

Il se tenait debout derrière le père Abel, le corps fumant et couvert de morceaux de chair brûlée qui tombaient à terre par moment. Le prêtre ne se rendait compte de rien tant il était absorbé par ses prières. Le chevalier le regarda dans un silence absolu et il n'avait qu'une envie, se débarrasser de lui une bonne fois pour toutes. Mais ce n'était qu'un souhait qu'il ne pourrait jamais assouvir s'il voulait déjouer cette malédiction. Ce qui le rendit encore plus fou c'est ce qu'il savait au sujet du père Abel. Il était un descendant de l'ecclésiastique qui l'avait fait brûler et condamner à avoir une mort sans repos jusqu'à payer sa dette par l'entremise d'un être bon.

Donc Pelham ne pouvait que s'amuser en quelque sorte pour le tourmenter et l'obliger à se poser encore plus de questions. Il pensait qu'à force il deviendrait peut-être dément.

Abel se signa et se releva. En se retournant, il eut juste le temps d'apercevoir une écharpe de fumée disparaître et quelque chose tomber au sol.

Il sursauta en se demandant quel était cet étrange nuage qui s'était évaporé. Il s'approcha de ce qui se trouvait au sol et vit avec dégoût que cela ressemblait à un petit morceau de viande fumante et répugnante. Il se recula en se pinçant le nez tant l'odeur était forte.

Il posa sa bible sur un banc et regarda aux alentours pour savoir d'où venait ceci. Ne voyant rien il décida d'aller chercher un récipient. Il revint muni de gants et d'une boîte en plastique dans laquelle il déposa sa découverte en pensant l'emmener le lendemain au docteur Fabri pour savoir de quoi il s'agissait. À peine avait-il refermé le couvercle qu'il lâcha le réceptacle qu'il laissa tomber à terre tellement il lui brûlait les mains.

Des flammes jaillirent des fragments de chair et firent fondre la boîte avec une émanation fort incommodante. Il ne restait plus qu'une galette noire, solide et fumante.

Très intrigué par ce qui venait de se produire, il se recula et à ce moment il entendit un rire sadique résonner dans toute l'église. Ne sachant pas d'où cela pouvait bien provenir, il ramassa sa bible et se mit à courir en direction de la porte du presbytère. Dans sa précipitation, il se prit les pieds dans un chandelier et chuta. Une bougie roula jusqu'à lui et mit le feu à sa manche de soutane. Il se dépêcha de se relever, enleva son vêtement et le piétina pour éteindre les flammes. Il continua sa course, ouvrit la porte et la referma à clef derrière lui. Le silence était revenu. Il avait du mal à reprendre son souffle tant la peur avait été immense.

Arrivé chez lui, il s'assit dans la cuisine en essayant de retrouver son calme, ce qui ne fut pas chose aisée. Il se servit un grand verre d'eau et l'avala d'un trait. Il regarda sa soutane à moitié brûlée qu'il avait mise par terre et se demanda pourquoi il se produisait tant d'événements inexplicables ces temps-ci. La plupart du temps, cela concerne directement lui et les Delson, comme ce soir où il avait vu ces ombres se diriger vers leur maison.

— Tout découle de ce moment-là, pensa-t-il.

Quant à Pelham, qui était retourné dans son tombeau, il était plutôt fier de sa petite mise en scène. En l'imaginant encore avec des lèvres, ce qui n'était pas le cas, on aurait presque pu dire qu'il affichait un rictus de satisfaction.

*

La nuit était bien avancée. John dormait, mais Marie s'était réveillée. Elle avait beaucoup de mal à retrouver le sommeil. Elle se retournait nerveusement dans tous les sens, mais rien n'y faisait. Elle se leva pour aller se préparer un verre de lait chaud. Elle descendit les marches, entra dans la cuisine, mit sa casserole de lait sur le feu et s'assit en attendant qu'il soit à la bonne température.

Elle eut une impression bizarre, mais pas désagréable, comme si elle n'était pas seule. Elle entendit des petits bruits qui venaient d'un peu partout, tels des petits animaux qui grattaient dans les murs. Elle s'approcha et posa sa main sur l'un d'eux.

Elle ressentit une douce chaleur qui l'envahissait, comme une sensation de bien-être, de protection. Simplement le pressentiment de ne plus rien craindre, sauf qu'elle avait oublié le lait qui déborda, et se répandit sur la cuisinière. Elle éteignit le gaz précipitamment avec un certain agacement, et s'empressa de nettoyer avant que cela ne sèche. Elle se versa dans un verre le peu de lait qu'il restait et remonta dans sa chambre. Elle le posa sur sa table de nuit, et alluma la lampe de chevet de son côté pour ne pas réveiller son mari, qui lui avait la chance de dormir à poings fermés se dit-elle en le regardant tendrement.

Elle se coucha et prit son livre, le genre de lecture qu'elle affectionne. Une histoire entre un homme et une femme, vivant loin l'un de l'autre. Ils étaient cernés par différents problèmes qui les empêchaient de vivre leur amour en toute sérénité. Mais c'était le genre de récit qui finissait toujours bien.

Elle avait déjà bien entamé sa lecture lorsqu'elle crut entendre chuchoter son prénom. Elle leva les yeux de son livre et regarda dans la chambre, légèrement inquiète, puis se ravisa en continuant son histoire. Une deuxième fois, elle entendit « Maarriee » plus distinctement cette fois-ci puisqu'elle put localiser précisément que cela venait de derrière sa porte. Elle hésita un instant avant de poser son roman sur le chevet. Elle se leva et passa sa robe de chambre, tout en se dirigeant vers la porte.

Elle l'ouvrit et entendit une fois de plus son prénom, mais cette fois elle se rendit compte que cela provenait du grenier. Elle s'en approcha et entendit comme des bruits de caisses traînées par terre et des morceaux de bois qui s'entrechoquaient. Elle regarda au sol et aperçut une lumière bleue vive passer sous la porte. À cet instant précis, elle vit sa main se poser sur la poignée et la tourner sans pouvoir la contrôler. Elle entra et remarqua le mur du fond libéré de ses planches et totalement accessible. Les différents signes envoyaient cette lueur saphir presque irréelle qui envahissait la pièce. Elle avançait, sans le vouloir, telle une marionnette diriger par des ficelles.

Une voix douce, mais autoritaire résonna dans le grenier :

— Toi, future mère de mon destin, soumets-toi. Il faut que ta progéniture reçoive ses premières leçons, le temps m'est trop précieux pour le perdre.

Marie était toujours manipulée, sans pouvoir réagir. Elle se trouvait face au mur, à peine cinquante centimètres, lorsque sa robe de chambre s'ouvrit toute seule puis sa chemise de nuit remonta, laissant apparaître son ventre arrondi. Les différents pictogrammes brillaient de plus en plus en se réunissant en un seul et même rayon de lumière très intense, qui se dirigea vers son nombril, et entra en un flux ininterrompu.

Cela ne dura pas longtemps juste quelques secondes puis tout s'éteignit. Les planches se fixèrent de nouveau et les cartons se remirent en place. Marie se réajusta, sortit du grenier, retourna dans sa chambre pour se recoucher. Elle reprit sa lecture comme si de rien n'était, puis s'endormit rapidement après quelques lignes lues.

*

Le soleil fit son apparition dans le ciel auvergnat. Le père Abel se leva très tôt comme à son habitude. Il était encore très affecté par les événements de la nuit se demandant même si ce n'était pas un cauchemar. Il s'aperçut que cela s'était réellement produit en voyant sa soutane sur le sol de la cuisine à moitié carbonisé. Il la ramassa, la regarda en se disant qu'il avait eu beaucoup de chance de ne pas avoir été brûlé, et la jeta à la poubelle.

Il se prépara un café qu'il avala rapidement et retourna dans son église pour nettoyer un peu. En entrant, il vit le chandelier renversé. Il le releva et ôta la cire qui avait coulé sur le sol puis remis des bougies neuves. Il balaya l'allée centrale en n'oubliant pas la boîte calcinée qu'il jeta également. Il se dirigea vers les lourdes portes d'entrée pour les ouvrir au cas où un de ses paroissiens désirerait se confesser, lui parler ou simplement se recueillir en silence. Le soleil entra dans l'église ce qui lui donnait un aspect moins inquiétant que la nuit passée. Il se mit ensuite à chasser le peu de poussière qui se trouvait sur les bancs, les statues, et les différents crucifix. Il était assez maniaque en fait et voulait que l'église soit toujours parfaitement impeccable.

Une fois tout ceci fait, il sortit prendre l'air dans la ruelle en saluant les quelques passants qui s'y trouvaient. Son regard se posa sur la maison des Delson. Il était pensif en se dirigeant vers le cimetière juste à côté pour ouvrir le portillon et voir si tout était en ordre. Il en fit le tour assez rapidement et ne vit rien de particulier sauf peut-être en passant devant la tombe du chevalier.

Il remarqua que la pierre tombale était très encrassée et son côté tatillon reprit le dessus.

Il retourna chez lui chercher le matériel nécessaire et s'affaira à la nettoyer. Il se disait qu'il ne savait pas vraiment qui était inhumé ici, sauf qu'il s'agissait d'un personnage important vu la taille du monument. Au fur et à mesure qu'il la lessivait, l'épitaphe devenait parfaitement visible et il put enfin la lire.

« Cigît le Chevalier Pelham d'Orcival et ses douze compagnons. Brûlés vifs pour vol, meurtre, pratique de la magie noire et sorcellerie. Maudit à tout jamais par le vénérable Père Jean Abel ».

Il eut un mouvement de recul et se retrouva assis sur le sol en voyant le nom qui y était inscrit. Ce n'est pas possible, se dit-il. Il se releva et courut consulter les archives de l'histoire du village qui se trouvait à la sacristie. Sur place, en lisant les différents textes il remarqua que c'était bel et bien son ancêtre qui était à l'origine de la mort de ce chevalier. Il se sentait mal à l'aise par rapport à cette malédiction en se demandant s'il n'y avait pas un lien avec tout ce qui lui était arrivé, tous ces événements anormaux auxquels il était confronté depuis quelque temps. Il s'interdisait d'y penser, ne voulant pas se laisser envahir par un sentiment de culpabilité par rapport à son aïeul.

Chapitre 7

John, voyant que son épouse dormait encore, se leva sans faire de bruit et descendit au rez-de-chaussée. Il ouvrit les volets de la salle à manger et de la cuisine. Le soleil brillait et illuminait la maison. Les oiseaux chantaient dans la fraîche odeur matinale et il se sentit en pleine forme et de très bonne humeur. Il se dit qu'il allait faire une surprise à sa femme en préparant le petit déjeuner et en le lui apportant au lit. Avant que Marie n'ouvre les yeux, il se dépêcha de faire chauffer une tasse de café et un thé. Il tartina quelques biscottes de beurre, de confiture et les installa sur une assiette. Il n'oublia pas de lui presser une orange, il savait que Marie en raffolait. Il eut ensuite l'idée très romantique d'aller cueillir pour sa belle, une magnifique rose rouge dans le jardin. Il la coupa délicatement en prenant soin de ne pas l'abîmer. Il disposa le tout sur un plateau et remonta dans la chambre. Elle venait juste de se réveiller et s'étirait tel un chat. Il déposa le plateau à côté d'elle en l'embrassant tendrement.

— Bonjour, ma chérie, tu as bien dormi ?

— Oui merci, répondit-elle en n'ayant absolument aucun souvenir des événements de la nuit. Quelle charmante attention, et cette rose, ma fleur préférée, tu es un amour.

— Je trouvais que cela faisait longtemps que je ne t'avais pas apporté le petit déjeuner au lit.

— Oui, c'est vrai et j'avoue que c'est très agréable. Méfie-toi, je pourrai vite en prendre l'habitude, dit-elle avec un petit sourire qui en disait long.

— Mais il n'y a pas de problème. Si cela te fait plaisir, je le ferai plus souvent. Je vais ouvrir les volets, nous y verrons plus clair.

Il se dirigea vers la fenêtre et poussa les contrevents. Le soleil emplit immédiatement la chambre d'une clarté chaleureuse.

Ils déjeunèrent tranquillement tout en discutant et en essayant de planifier leur journée.

— Tiens, annonça John, il faudra que j'aille à la quincaillerie en face. Il me manque du matériel pour poser les étagères dans la cave, tu as envie de venir avec moi ?

— Oh non, répondit-elle, tu sais moi et le bricolage, ça ne m'intéresse pas plus que ça, je crois que je vais aller marcher un peu et rendre une petite visite au père Abel.

— C'est une bonne idée, tu as raison. Après tout ce qu'il a fait pour nous, cela lui fera très plaisir.

Le petit déjeuner terminé, John redescendit le plateau pour le poser sur l'évier de la cuisine. Il se rendit à la cave pour faire le point sur les matériaux qui lui faisaient défaut afin d'installer des étagères sur tout un pan de mur. Il avait le bois nécessaire, il ne lui manquait plus que la visserie et les équerres. Une fois sa liste établie, il remonta avertir sa femme de son départ pour le magasin. Il traversa la rue et entra dans la boutique qui était tenue par Bernard. Un petit homme chauve, ventripotent et surtout fort sympathique qui tenait un magasin très bien agencé.

John lui tendit son papier et le détaillant commença à aller chercher ce qui était inscrit dessus.

— Alors comme ça c'est bricolage aujourd'hui ?

— Eh oui, répondit John, je n'avais pas trop le temps avant, mais là je profite de ma semaine de repos forcé.

— Ah oui ! j'ai appris que tu avais eu des ennuis, que t'est-il arrivé au juste ?

— Eh bien ! je ne sais pas moi-même. Problème d'amnésie temporaire apparemment d'après le docteur Fabri.

— Mon pauvre ami, tout le monde parle d'une agression, mais je trouve ça plutôt improbable non ?

— Oui, assura John, moi aussi je ne sais pas qui pourrait m'en vouloir. C'est soit une agression totalement gratuite d'un de nos concitoyens, soit d'une personne étrangère au village. J'espère m'en souvenir un jour.

— Je te le souhaite sincèrement, l'encouragea Bernard, en attendant voici ce dont tu as besoin et travaille bien. Je le mets sur ton compte ?

— Oui s'il te plaît, merci, bonne journée.

— Toi aussi et ne pense pas trop à tout ça.

John lui fit un signe de la main en sortant et retourna à son domicile, il n'avait que la ruelle à traverser. Marie était toujours là, elle finissait de se préparer. John ouvrit la porte d'entrée.

— Je suis revenu, Marie.

— Très bien, mon chéri, je suis sur le point de partir. As-tu trouvé tout ce dont tu avais besoin ?

— Oui absolument, c'est l'avantage avec Bernard, ce magasinier ne manque jamais de rien. Du coup, je vais pouvoir commencer.

— Très bien alors, moi je pars.

— D'accord, prends ton temps, ma chérie. Profite de cette belle journée ensoleillée, moi j'ai de quoi m'occuper.

Elle s'approcha de son époux, lui souhaita bon courage en lui donnant un tendre baiser.

Marie arpenta la ruelle en direction de l'église sous un doux soleil d'été tout à fait agréable. Elle marcha tranquillement en regardant de-ci, de-là, les différents jardins fleuris en saluant les voisins qui y travaillaient. Elle arriva devant le presbytère. Ne voyant pas le Père dehors elle alla vers l'église et vit les portes ouvertes. Elle entra et ne remarqua personne dans les parages. Elle s'assit sur un banc et aperçut en direction du chœur une silhouette bouger, elle lança un salut.

— Bonjour, mon Père.

Il sursauta et se retourna. Il eut un moment d'attente avant de répondre en s'approchant.

— Bonjour, Marie, comment vas-tu ce matin ?

— Bien, merci, et vous-même ?

— Ma foi pas trop mal au vu des événements qui se sont passés récemment.

— Quel genre, mon Père ?

— Tu n'as rien remarqué d'étrange depuis hier ?

— Non vraiment, rien de spécial.

— Ah bon ! s'étonna-t-il, cela doit être moi alors. Ne tiens pas compte de ce que j'ai dit, ne t'inquiète pas.

Marie le trouva très préoccupé et distant. Elle insista pour savoir ce qui lui arrivait.

— Vous êtes sûr que tout va bien, mon père ?

— Oui, Marie, ça va.

— Bon, je vais rester un peu ici pour me recueillir si vous n'y voyez pas d'inconvénient.

Il acquiesça et reprit ses activités en s'éloignant d'elle.

Il la regarda discrètement en se demandant si tous ces problèmes venaient d'eux. Il la trouva plutôt sereine et se dit que ce n'était pas possible qu'un si gentil couple soit à l'origine de tous ces événements, malgré ce qu'il avait vu arriver dans leur maison. Ces ombres maléfiques qui y pénétraient l'obsédaient, mais il essaya de penser à autre chose.

Dans le calme de l'église, un oiseau entra par les portes grandes ouvertes en brisant ce silence religieux par le bruit de ses ailes et de ses cris perçants. Le Père et Marie sursautèrent et le regardèrent se poser sur une balustrade juste à côté du curé qui le fixa quelques instants sans bouger. Marie, interloquée assistait à la scène qui dura plusieurs secondes. Soudain, l'oiseau se raidit totalement, poussa un hurlement effroyable et tomba à terre, apparemment mort.

— Qu'est-ce que cela signifie s'affola le père Abel ?

— C'est très étrange, renchérit Marie en s'approchant du volatile.

Le curé se recula en ajoutant :

— Évidemment, c'est quand tu es là qu'il se produit un nouveau fait anormal.

— Comment ça ? demanda-t-elle avec surprise ? Où voulez-vous en venir ?

Abel se reprit.

— Rien, oublie, excuse-moi Marie.

— Ce n'est pas grave, mais pourquoi cette agressivité envers moi ?

— Pardonne-moi encore, je ne suis pas moi-même en ce moment, tant de choses inexpliquées hantent mon esprit ces temps-ci, ne serait-ce que la disparition de John. Où était-il ? Que s'est-il passé pour l'avoir retrouvé dans cet état ? Et puis… Il y a eu hier soir.

— Je comprends votre inquiétude pour mon mari, moi-même j'aimerais bien savoir, mais que s'est-il passé hier soir, vous avez l'air perturbé ?

— Malheureusement, je ne me rends plus compte si c'était réel ou pas. Ces bruits, ces cris, cette impression étrange d'être observé à chaque instant et là cet oiseau.

Il baissa la tête en observant l'animal, et le ramassa. Il oublia son interlocutrice en s'éloignant.

Marie resta seule au beau milieu de l'église en regardant le Père se diriger vers son presbytère. Elle resta un moment pensive avant de sortir pour se rendre au marché et y faire quelques achats. Elle demeura contrariée par l'état de cet homme d'Église qu'elle ne reconnaissait plus.

*

John était dans la cave. Il préparait le matériel qui lui servirait pour ses étagères. Il débarrassa aussi tout ce qui se trouvait devant le mur choisi. En commençant à prendre les mesures, il aperçut une empreinte de main sur l'une des pierres.

Il remarqua que c'était apparemment la même qu'il avait vue au grenier. Elle était faite de façon similaire, très creusée. La seule différence résidait dans le fait que celle-ci ressemblait davantage à une main d'adulte.

John était très intrigué et en même temps, très tenté de vouloir y apposer la sienne. Il passa au-dessus et à seulement quelques millimètres du contact, il y renonça. La peur et le doute l'envahirent un bref instant.

Beaucoup de questions se bousculaient dans sa tête. Pourquoi ces empreintes, au grenier et ici ? Aucune réponse ne venait à son esprit. Il préféra commencer ce pour quoi il était venu.

Au bout d'un certain temps, toutes les planches étaient sciées à la bonne longueur, mais il ne pouvait détacher son regard de cette marque qui le laissait perplexe.

— Après tout, s'interrogea-t-il, ce n'est sûrement qu'une gravure ornementale ou tout simplement l'empreinte d'un ouvrier de l'époque qui a construit cette maison. Il aura voulu laisser une trace de lui, tels les grands peintres signant leurs toiles.

Il décida donc de toucher cette empreinte, sa main remplissait parfaitement la cavité. En appuyant un peu plus il y eut comme un déclic qui résonna dans la pièce. Un grondement sourd se fit entendre. Il se recula, car la cloison commençait à bouger.

Dans un fracas assourdissant, il vit le mur se desceller aux coins de la pièce et avancer lentement vers lui, faisant tomber gravats et objets qui s'y trouvaient apposés.

Il s'arrêta brutalement. John vit une ouverture se dessiner au milieu. Deux morceaux de murs commençaient à pivoter vers l'intérieur, chacun de leurs côtés pour former les battants d'une porte. Puis le bruit cessa, plus rien ne bougeait. Une ouverture s'était formée sous ses yeux ébahis.

Il restait immobile et sans voix durant un long moment face à ce qui venait de se passer devant lui. Cette ouverture paraissait s'enfoncer vers le néant tellement il y faisait noir. Pas le moindre éclat de lumière, aucun bruit. Juste un léger courant d'air nauséabond qui parvenait à faire bouger les quelques toiles d'araignées visibles au-dessus des pans de murs ouverts.

Il s'avança de quelques pas, mais ne discerna rien. Il reconnaissait juste cette odeur qui était celle de la moisissure et de l'humidité. Il décida alors d'aller chercher de quoi s'éclairer pour savoir enfin ce qui se cachait dans cet endroit.

John revint avec une lampe de poche qu'il alluma en la dirigeant droit devant lui. Il avait l'impression d'être dans une très grande pièce. À peine fit-il quatre ou cinq pas que la lumière vint envahir cet endroit peu hospitalier au premier abord. Des dizaines de flambeaux s'allumèrent les uns après les autres en s'éloignant de lui jusqu'au fond de la pièce, pour en dessiner le contour.

John resta sans aucune réaction. Il était stupéfait et en même temps complètement ébloui. Pas seulement par cette lumière soudaine et très forte, mais aussi par la magnificence du lieu. Certes, quelques racines pendaient du plafond, ce qui le laissait supposer qu'il se trouvait juste sous le jardin. Des toiles d'araignées recouvraient les murs, cela rendait le lieu un peu plus glauque.

En s'avançant lentement, il découvrit peu à peu que le sol était pavé, un peu comme dans la ruelle. Les murs en pierre, où étaient accrochés de magnifiques flambeaux, étaient presque blancs. Il s'avança un peu plus et vit un pupitre entouré de gigantesques bibliothèques emplies d'ouvrages d'une grande qualité.

Les couvertures étaient faites de cuir épais, ornées d'enluminures dorées. Il eut l'impression de se trouver dans une salle de château du moyen-âge.

Il progressa lentement dans la salle en regardant tout autour de lui avec des yeux admiratifs. Il scruta le moindre recoin, la moindre pierre, les moindres livres rangés dans ces bibliothèques qui étaient d'un autre âge, d'une beauté artisanale à couper le souffle.

Il s'arrêta devant le lutrin et l'examina. Il était tout aussi remarquable que cette pièce et son contenu. Il recula et en se retournant, son regard se posa sur les ouvrages qui lui faisaient face.

Il passa sa main sur le dos de plusieurs de ces volumes, il en prit un au hasard, contempla sa magnifique couverture et le posa délicatement sur ce pupitre. Aussitôt, le livre s'ouvrit de lui-même dans un nuage de poussière. La première page s'offrit aux yeux de John. Il s'approcha pour lire les quelques lignes qui s'y trouvaient, mais à sa grande surprise, le texte lui semblait totalement incompréhensible. Il vit une suite de dessins, de lettres à l'apparence gothique, de chiffres romains, tout ceci formait un genre de paragraphe qu'il ne put déchiffrer ou traduire. Il tourna quelques feuilles, mais le constat fut le même. Il ne connaissait tout simplement pas ce langage. Il referma l'ouvrage et le rangea à sa place. Il en prit un autre, il le posa au même endroit et le résultat fut le même. Il s'ouvrit tout seul, mais le libellé était toujours indescriptible à ses yeux.

Après avoir refait le tour de la pièce sans trouver le moindre indice qui lui aurait permis de comprendre un peu plus ce lieu et ce qu'il contenait, il décida, avec regrets, de ressortir. En arrivant près de la porte, le manège des flambeaux recommençait, mais en s'éteignant cette fois-ci. En franchissant le seuil de la salle, John se retourna et jeta un dernier regard sur cet endroit redevenu sombre et pesant en pensant que ce lieu devait être important, mais sans savoir pour qui ou pour quoi. Il se résigna et de nouveau apposa sa main sur l'empreinte. La porte se referma et le mur reprit sa position initiale toujours dans un bruit assourdissant.

Il dissimula la marque avec des caisses et divers objets en se disant qu'il n'en parlerait pas à sa femme, dans son état il ne voulait pas l'inquiéter. Il lui faudrait juste trouver une excuse pour lui dire qu'il ne ferait pas ces étagères dans la cave. En effet, il voulait garder l'accès disponible à cette pièce, sans savoir pourquoi cela lui semblait important.

*

Pelham d'Orcival, assis sur son trône, semblait un peu agacé. Il savait que John avait découvert la « bibliothèque », mais dans un second temps il était rassuré.

— Peu importe qu'il l'ait trouvée, la faiblesse de son intelligence sera incapable de décrypter et de comprendre ce langage, il n'aura jamais mon savoir ni mes connaissances. Ces endroits ne le concernent pas, seule une personne pourra déchiffrer tous ces écrits, le moment venu.

Le chevalier se leva, il ne voulait pas se l'avouer, mais cette découverte l'ennuyait un peu. Il décida donc d'accélérer le processus d'apprentissage pour que le garçon naisse avec plus d'instruction que ce qui était prévu dans son plan initial. Cela comportait quelques risques, pour la santé de l'enfant surtout, mais il était prêt à tout pour réussir.

Il se rendit dans la salle où étaient disposés tous les cercueils désormais vides. Il s'approcha de son propre tombeau, fit glisser le couvercle et s'installa à l'intérieur. Il marmonna quelques incantations incompréhensibles qui étaient destinées à Jasper Gavyne, son second dans la hiérarchie et surtout son plus fidèle ami.

Jasper a toujours été aux côtés de Pelham. Depuis leurs plus jeunes âges, ils étaient inséparables. Ils ont grandi, appris, aimé au même moment, parfois pleuré ensemble. Mais surtout, ce qui les a le plus réunis, c'est leur soif commune de morbidité. Ils ont tué, massacrés, brûlés, démembrés, violés, pendus des centaines de personnes ensemble avec leurs compagnons. Pelham parfois juste par plaisir se servait de ses pouvoirs immenses devant une maison de pauvres gens. Il décidait de bloquer les portes et fenêtres pour les empêcher de sortir. Il faisait ensuite apparaître à l'intérieur la pire créature qu'il lui était possible d'invoquer. Un être cruel, assoiffé de sang et de chair humaine. La troupe de chevaliers restait dehors à boire et rire à gorge déployée en entendant des cris de douleurs, de peurs, et de souffrances. Pelham à son époque avait amené la barbarie à son paroxysme.

Jasper qui se trouvait avec ses compagnons chez les Delson reçut le message de Pelham. Les ordres étaient simples, l'enfant devait recevoir une nouvelle « leçon » au travers de Marie pour le faire évoluer. Jasper acquiesça et promit de s'exécuter le soir même. Pelham appréciait qu'on le respecte et qu'on obéisse à ses ordres sans rien dire. Il sortit de son cercueil et se dirigea vers la salle principale en songeant que ce soir un cap allait être franchi. Désormais plus rien ne pourrait déjouer ses plans, il s'assit, le regard plongé dans le vide, mais son esprit tourné vers son ennemi de toujours.

Le père Abel venait de poser le pauvre volatile sur une table de son jardin le temps de creuser un trou pour lui donner une dernière demeure. Une fois la petite tombe prête, il se saisit de l'oiseau délicatement, mais en une fraction de seconde, l'animal s'embrasa et se consuma totalement en brûlant gravement la paume de la main du prêtre. Il courut à la cuisine pour soulager sa douleur en laissant couler de l'eau froide sur sa blessure. Il souffrait terriblement et faillit même s'évanouir, mais le mal s'estompa assez rapidement. Il en profita pour recouvrir sa blessure d'un linge humide, la chaleur de la brûlure s'atténuait petit à petit.

— Mais mon Dieu ! hurla-t-il les yeux levés au ciel. Qu'ai-je donc fait pour mériter de tels tourments ?

Il était totalement perdu, ne sachant plus quoi penser, il regarda sa main à la chair meurtrie.

— Veut-on me faire payer les actions de mon ancêtre ? Est-ce que ce chevalier maudit cherche à se venger ? Combien de temps devrais-je porter ce fardeau ? Laissez-moi tranquille, hurla-t-il. Vous m'entendez, laissez-moi tranquille.

Il tomba à genoux et éclata en sanglots, non pas à cause de la douleur, mais surtout à cause de l'incompréhension d'un tel acharnement à son égard. Il était épuisé.

Il observa sa main, ses larmes tombèrent sur le bandage de sa blessure. Il serra le poing en grimaçant et en marmonnant d'incompréhensibles suppliques.

Après quelques instants de récupération, il se releva et sortit pour reboucher ce trou devenu inutile. Son regard fila en direction du cimetière, il vit la croix de la tombe du chevalier. C'était la plus haute, la plus belle, la plus façonnée, mais surtout à ses yeux, la plus maudite de toutes.

Chapitre 8

En arrivant chez elle, Marie aperçut son mari dans le jardin en train de regarder partout. Interloquée, elle le questionna.

— Que cherches-tu, mon chéri ?

John un peu surpris par l'arrivée de sa femme s'évertua à trouver une réponse adéquate pour ne pas parler de sa découverte sous le jardin.

— Rien du tout. En fait, je vérifie si les plantations ne manquent pas d'eau.

Il enchaîna aussitôt par une autre question pour éviter qu'elle insiste de trop.

— Et toi alors, cette petite visite chez le père Abel, ça s'est bien passé ?

— Bizarrement, je l'ai trouvé très préoccupé. Il me parlait de phénomènes déconcertants. Je n'ai pas tout compris, ensuite un oiseau est venu mourir à ses pieds en poussant un cri effroyable, c'était très étrange. Il agissait aussi comme si j'étais responsable de ses ennuis. Il est vraiment dans un état inhabituel.

John haussa les épaules en la rassurant.

— Il a peut-être des ennuis personnels tout simplement. Quant à cette histoire d'oiseau cela reste une énigme.

— Tu dois avoir raison. Et ces étagères alors ?

John ne put éluder la question plus longtemps et répondit avec une certaine hésitation.

— Eh bien ! tout compte fait, je les monterais ailleurs. La place manque à l'endroit que nous avions choisi, et le mur n'est pas en très bon état.

Marie n'y voyait aucun problème.

— C'est toi qui vois, tu fais comme tu peux.

Elle rentra dans la maison pour ranger les quelques achats qu'elle avait faits au petit marché en face de l'église.

La journée se passa sereinement, John bricolait dans la cave en prenant soin de ne pas bloquer l'accès à cette « bibliothèque », et Marie s'occupait de sa maison en se reposant de temps en temps.

La nuit arrivait. Ils étaient tranquillement installés devant un bon film lorsque Marie ressentit une grande fatigue la submerger. Elle en fit part à John et monta pour se coucher.

Elle alla tout d'abord dans la salle de bain. Elle se sentait de plus en plus faible, même ses jambes avaient du mal à la porter et faire un brin de toilette devenait une épreuve. Elle finit par endosser sa chemise de nuit, puis elle se rendit dans la chambre, referma la porte et appuya sur l'interrupteur. Bizarrement, l'ampoule restait éteinte. Elle insista et toujours rien. Elle voulut ressortir pour que John vienne voir, mais la porte refusa de s'ouvrir. Un silence pesant envahit la pièce, le tic-tac du réveil cessa, le temps s'était arrêté.

Marie était debout, immobile, la main sur la poignée de la porte. Sa respiration était très lente, de la vapeur sortit de sa bouche à chaque expiration. Le froid commençait à inonder la chambre.

Marie était figée dans cette ambiance cauchemardesque. Elle ne pouvait pas réagir. Elle sentit juste son cœur battre de plus en plus fort. Des gouttes de sueur froide coulaient le long de ses tempes. Elle se retourna et vit une forme se dessiner devant elle, une brume fantomatique. Une main décharnée et froide vint se poser sur sa joue, et descendit le long de son cou. Des larmes coulaient des yeux de Marie, mais elle ne pouvait rien faire, rien dire. La main continua son chemin en passant sur sa poitrine pour finir sur son ventre.

Une lumière d'un bleu électrique apparu alors. Deux autres formes spectrales vinrent soulever Marie pour la mettre dans son lit. Le faisceau de lumière sortant de cette main inhumaine était toujours aussi intense, et dirigé sur son abdomen.

Subitement, les entités disparurent en même temps que le froid. Le tic-tac du réveil reprit sa rengaine, la lampe s'alluma, la porte s'ouvrit et John entra. Il vit sa femme dormir paisiblement. Il l'embrassa tendrement et se coucha.

Pelham était comblé. Jasper venait d'inculquer une nouvelle « leçon » à l'enfant.

*

Les jours s'écoulèrent paisiblement dans le village. Marie en était à son huitième mois de grossesse. Elle était heureuse, tout se passait bien et John avait repris son travail à la coutellerie. Le père Abel se sentait plus apaisé ces derniers jours et voulut rendre visite à Marie. Il ne l'avait pas revue depuis l'événement avec l'oiseau, et il s'était rendu compte qu'il avait été un peu dur avec elle.

Il marcha d'un pas énergique et arriva vite en vue de la maison des Delson, mais à son approche ses malaises et ses visions reprirent. Il insista, mais sa poitrine se serrait et devenait très douloureuse. Il dut renoncer une fois de plus et s'éloigna pour retrouver un état normal.

— Je ne comprends pas, pensa-t-il, essoufflé. Pourquoi je n'arrive plus à me rendre chez eux alors que j'y suis déjà allé ? Ce couple me paraît de plus en plus étrange.

Il retourna chez lui. Sur le chemin, son regard fut attiré par un petit nuage de poussière qui s'élevait légèrement du socle d'une tombe. Il entra dans le cimetière en se disant que comme par hasard, cela devait venir de celle de ce maudit chevalier.

Il ne s'était pas trompé, c'était bien elle. Il s'approcha en regardant sa main meurtrie par la brûlure de l'oiseau et ressentit une légère douleur. Il continua en s'accroupissant devant la tombe. Il gratta un peu la terre d'où s'échappaient de petites fumerolles claires et vit à sa grande stupéfaction un message se graver sous ses yeux dans la pierre moussue. Il le lut et se recula énergiquement avec un air effrayé, en secouant la tête de gauche à droite en marmonnant.

— Non, non, ce n'est pas possible.

Il se releva et se mit à courir chez lui. Il entra et ferma la porte en restant adossé à celle-ci pour essayer de reprendre son souffle. Il repensait à cette phrase qu'il avait vu s'écrire et qui était désormais gravée dans son esprit : « Tant de tortures, de souffrance qu'un être de mon rang ne peut accepter sans que tu en subisses les conséquences ».

Il entra dans l'église avec un air préoccupé pour consulter les archives du village et essayer de comprendre quelque chose. En parcourant un document, il s'aperçut que le chevalier d'Orcival avait toujours vécu dans ce village ainsi que sa descendance et son autre famille lointaine. Désormais, il savait de quelle demeure il s'agissait.

— Mon Dieu ! pensa-t-il, les Delson vivent dans cette maison, beaucoup de choses s'expliquaient à présent. Comment leur en parler sans qu'ils me prennent pour un fou ?

Soudain, il interrompit sa réflexion en entendant une sorte de gargouillis. Il sortit de la sacristie. Le bruit se faisait de plus en plus proche en arrivant dans la nef centrale.

Il avança encore et vit que cela venait des bénitiers. L'eau était en train de bouillir, de la vapeur s'en échappait. Il retourna au milieu de l'église et entendit un crépitement derrière lui. En faisant demi-tour, il vit le Christ sur sa croix s'embraser. Soudain, les lourdes portes d'entrée s'ouvrirent avec une violence inouïe dans un bruit fracassant. Le vent raviva les flammes et les éteignit aussitôt. L'eau bénite s'arrêta de bouillir. Il regarda la croix calcinée et la vit tomber en poussière à ses pieds.

— On ne veut pas que je parle, hurla-t-il en regardant tout autour de lui, c'est ça.

L'écho lui répéta ses paroles quand juste après, il entendit une voix grave et sombre lui répondre.

— Tu as raison.

— Qui êtes-vous ? demanda Abel d'une voix tremblante.

La réponse ne se fit pas attendre.

— Tu le sais très bien. Je suis sûrement l'être qui te déteste le plus au monde, toi et tes ancêtres, craignez ma colère et ma vengeance.

La voix s'estompa dans un rire cynique. Le père sortit de l'église en reculant et prit la direction de son presbytère. Il était très affecté par ce nouvel épisode démoniaque. En s'asseyant dans son fauteuil, il ne pouvait effacer de sa tête l'image du christ en feu. Il avait le regard perdu et semblait totalement absent et désespéré. Son esprit vagabondait d'époque en époque en repensant à ce que son aïeul avait fait. Il ne lui en voulait pas puisque sa cause était juste. Il devait arrêter ce démon assoiffé de sang qui prenait plaisir à faire souffrir ses êtres innocents, mais cette malédiction c'est lui qui doit la supporter maintenant. Il devra vivre avec ce fardeau, tant que ce chevalier sera là du moins. Il se mit à prier pour son salut et implora le ciel de lui venir en aide.

Marie se sentait plus fatiguée qu'à l'habitude, mais elle en était à un peu plus de huit mois de grossesse. Le docteur Fabri devait passer la voir aujourd'hui pour une visite de routine et il arriva dans l'après-midi. Aussitôt, devant la porte des Delson, il vit que celle-ci était ouverte.

— Tiens ! c'est étonnant, pensa-t-il.

Il entra en poussant un peu plus la porte et vit Marie occupée à faire son ménage.

— Bonjour ! lança-t-il, tu laisses la porte ouverte maintenant ?

Marie se retourna en sursautant.

— Oh ! bonjour docteur, je ne vous avais pas entendu entrer, j'ai laissé ouvert pour aérer avec ce beau temps.

— Tu as bien raison. Alors, comment va John ces temps-ci ?

— Bien, répondit-elle. Il a parfaitement récupéré et depuis qu'il a repris son travail il se sent mieux.

— Parfait. Comment va ton bébé ?

— Apparemment, tout va bien, je pense.

— Bon, on va voir ça. Allonge-toi sur le canapé s'il te plaît.

Le médecin l'examina soigneusement et trouva aussi qu'ils étaient en bonne santé tous les deux.

— C'est parfait, annonça-t-il. Tout a l'air normal, je peux te laisser. Tu diras bonjour à ton mari et tu n'hésites pas, si tu as besoin téléphone-moi.

— Merci docteur, je n'y manquerai pas, à bientôt.

Elle referma la porte après son départ et reprit son ménage où elle l'avait laissé avant l'arrivée du médecin.

John rentra de sa journée de travail et vit son épouse s'affairer dans la cuisine, en train de lutter contre quelques taches rebelles sur son carrelage.

— Bonjour ma chérie, tu vas bien, qu'a dit le docteur ?

— Tout va bien, le bébé à l'air en forme aussi, je suis juste un peu épuisée.

— Donc tu devrais aller te reposer un peu et laisser ces vilaines taches tranquilles, la taquina-t-il en souriant.

— Tu as raison, je vais aller m'allonger un peu avant le souper.

— Voilà qui est plus sage. Laisse tout ceci, je vais le ranger.

— Merci, mon chéri, tu es un ange.

Elle l'embrassa et monta dans la chambre pour s'étendre sur le lit. Elle imaginait à quoi allait ressembler leur vie avec l'arrivée du bébé, elle était impatiente. À force d'être dans de profondes réflexions sur leur avenir, elle s'endormit et se mit à voyager au pays des songes.

Elle se voyait dans une étrange pièce faite de pierres, qui lui semblait être sous terre et était seulement éclairée de quelques bougies à la lueur très faible. En scrutant les alentours, elle ne distinguait pas grand-chose si ce n'est quelques ouvrages posés à même le sol. Mais ce qui la fit se retourner fut une petite voix qui venait du fond de cet endroit. Elle entendit distinctement ces mots.

— Maman, c'est toi ?

Marie se retourna dans tous les sens pour essayer de savoir d'où venait cette voix. Elle ne vit absolument rien et de nouveau une phrase retentit.

— Maman, c'est bien toi ? Tu me vois ?

Elle commençait à être apeurée, mais ne vit toujours rien dans cette semi-obscurité, jusqu'au moment où ses yeux furent attirés par une flamme de plus en plus brillante. Elle dévoilait une petite silhouette qui s'approchait lentement. Marie commença à reculer, mais se ravisa en voyant que c'était un petit enfant. Sa peur se changea vite en une petite pointe de tendresse. Elle s'avança à son tour, mais elle eut l'impression de rester sur place. La distance qui les séparait ne changea pas. Elle cessa son effort quand le petit garçon se mit à parler de nouveau.

— Tu me vois ?

— Oui marmonna-t-elle, mais qui es-tu ?

— Mais maman, c'est moi ton fils.

— Comment est-ce possible ? murmura-t-elle, je n'ai pas d'enfant, pas encore.

Il s'approcha de quelques pas. Elle le distingua beaucoup mieux et remarqua qu'il lui ressemblait étrangement. Les mêmes cheveux bruns, les mêmes yeux sauf que son regard était étrangement lumineux.

— Je sais que c'est difficile à croire, mais c'est bien moi qui suis dans ton ventre maman. Je vais être quelqu'un d'important. Il me l'a dit, mais je ne veux pas. J'ai peur maman, il me fait peur.

— Je ne comprends pas, répondit-elle.

— Ma vie sera dure, je ne pourrai pas être comme les autres à cause de lui. J'ai peur maman, je ne sais pas si je pourrai y arriver.

Marie était effrayée et triste à la fois.

— Comment peux-tu me parler ? Tu n'es pas encore parmi nous.

— Je sais, lui dit-il, c'est difficile à comprendre. Tu sais maman, dans les rêves tout est possible, mais j'ai peur d'être méchant. Il m'a donné de mauvaises pensées, de mauvaises leçons, il est toujours là, il me surveille. Aide-moi s'il te plaît maman.

Il continua son discours en s'approchant de Marie, mais elle devint blême en le voyant tituber et se décomposer devant ses yeux. Plus il avançait, plus sa voix était inaudible et des lambeaux de chair tombaient de son corps. Il criait à l'aide en tendant les mains vers elle. Marie était horrifiée. Elle se tint le visage à deux mains quand le petit garçon tomba à ses pieds dans un cri inhumain. Ses yeux sortirent de sa tête et virevoltaient autour de Marie dans un vrombissement assourdissant.

Elle se réveilla en sueur, en hurlant et tremblant de peur. Elle était assise sur le lit, en larmes, quand John arriva en courant.

— Marie, qu'est-ce que tu as ? Qu'est-ce qu'il t'arrive ? lui demanda-t-il essoufflé d'avoir monté les marches quatre à quatre en entendant crier sa femme.

Elle répondit en pleurant, manquant de souffle pour trouver ses mots.

— John… j'ai vu un enfant… notre enfant… C'était horrible.

— Allons, allons, calme-toi, c'était un mauvais rêve, voilà tout.

— Mais ça paraissait tellement réel, il semblait terrifié. Il était dans une désespérance indescriptible, puis… Il est mort à mes pieds, lui expliqua-t-elle en éclatant de nouveau en sanglot.

Il la prit aussitôt dans ses bras pour essayer de la calmer en lui proposant de descendre pour aller boire quelque chose de chaud. Arrivé au salon, John l'installa dans le canapé et se dépêcha de lui préparer une tasse de sa tisane préférée.

Il essaya de lui changer les idées en lui parlant de choses et d'autres. Elle commença à aller mieux. Elle était sûre au plus profond d'elle-même d'avoir vu son futur enfant pour la première fois.

Pelham était assez inquiet. Ce premier contact il l'avait décidé, mais ce qu'avait dit l'enfant lui échappait totalement. Il n'avait pas pu le contrôler. Il se demanda pourquoi et comment il avait pu parler de la sorte. Il savait déjà ce qui allait lui arriver.

Pelham eut un doute. Et s'il s'était trompé ? Si cet enfant n'était pas celui tant espéré ? Mais il cessa de se torturer l'esprit. Il se dit que « l'élu » devrait beaucoup travailler pour transformer toute cette haine et cette terreur en pouvoir bénéfique, évidemment le chemin sera long.

Il continua à errer dans cette grande salle où était son trône. Ce coup-ci en pensant au père Abel.

Il le surveillait régulièrement pour éviter qu'il se mêle de cette histoire. Il le vit chez lui, l'air hagard. Cela lui convenait parfaitement. Il remarqua que tout ce qu'il lui faisait subir commençait à porter ses fruits, mais il se garda bien de le tuer même si c'était son plus cher désir. Il pensait que ce serait ce curé qui devrait baptiser l'enfant pour créer un lien, une continuité : « La bénédiction de la réincarnation du chevalier, par le descendant de celui qui a causé sa perte ».

Pelham fut interrompu dans ses pensées par une étrange sensation de douleur. Il avait du mal à le concevoir. Comment un corps mort pouvait-il souffrir ?

Il arriva sur son trône en poussant un hurlement déchirant le silence qui régnait dans le caveau. Puis plus rien, plus de douleurs.

Il venait de comprendre ce qui lui arrivait. Une partie de lui possédait l'enfant et il ressentait le moindre mal qu'il pouvait éprouver. Cette souffrance était le signe de l'imminence de la naissance. Il se réjouissait de ceci. Enfin, son histoire allait reprendre son cours, la quête pour le repos de son âme pouvait commencer.

Chapitre 9

Marie s'affairait à la cuisine tandis que John remontait de la cave lorsque soudain, il entendit un bruit de verre brisé. Il courut et vit sa femme à genoux au milieu de la vaisselle cassée, les mains pressées sur son ventre.

— Va vite chercher le médecin, lui dit-elle, c'est le moment.

Il la releva pour l'installer sur le canapé et courut frapper chez le médecin qui habitait quelques maisons plus bas.

— Docteur ! docteur ! cria-t-il, en tambourinant sur la porte. Fabri ouvrit.

— Que se passe-t-il, John ?

— C'est ma femme ; elle dit que le bébé arrive.

Le médecin prit sa trousse et emboîta le pas de John.

Ils arrivèrent près de Marie

— Ça va aller, dit le docteur en essayant de la rassurer.

— Non ! ça ne va pas aller, cria-t-elle avec une voix plus grave qu'à l'habitude, je ne veux pas qu'il vienne.

Les deux hommes se regardèrent d'un air interrogatif.

La lumière du lampadaire déclina légèrement.

Pelham poussa un hurlement indescriptible tant il souffrait.

Marie cria de nouveau.

— Laissez-moi. Je vous hais tous. Vous allez tous le payer.

John s'inquiétait pour sa femme. Il ne la reconnaissait pas. Il essaya de lui prendre la main pour la calmer en lui parlant doucement.

— Ça va aller, tranquillise-toi ma chérie ; tu vas mettre notre enfant au monde.

Elle retira sa main et lui griffa le visage en hurlant.

— Va-t'en ! Je ne veux pas de ce monstre.

Pelham courut dans le couloir, autour des tombes. Il redevint brume puis de nouveau spectral. Cette souffrance il ne l'avait jamais connue. Il hurla, se roula par terre, frappa sur le sol, puis soudain plus rien.

Marie s'était évanouie, le docteur Fabri lui prit son pouls, il était très rapide. Trop. Elle transpirait beaucoup, ses yeux se révulsaient par moment.

La lumière s'éteignit, un calme angoissant s'installa. John sortit et vit que tout le quartier était dans le noir. La pièce était de plus en plus froide. Une voix sibylline s'éleva dans le salon obscur.

— Fuge… Timor… Mea… Furorem.

Marie venait de prononcer ses mots qui laissèrent sans voix John et le médecin. L'air était de plus en plus pesant, le froid devint piquant.

Fabri était toujours au chevet de sa patiente, mais il se sentait inutile, les contractions étaient finies.

Pelham se releva, la souffrance se fit plus forte, plus insupportable

Marie se réveilla ; les contractions reprirent de plus belle.

— John, tu es là ?

Il finissait d'allumer quelques bougies, ce qui rendit le lieu encore plus sinistre. Il s'approcha de sa femme.

— Oui, ma chérie, je suis là, que t'arrive-t-il ?

— Je ne sais pas, j'ai peur de…

Elle fut interrompue par une douleur terrible et des convulsions impressionnantes. Le docteur fut obligé de la tenir fermement pour éviter qu'elle se blesse. De la mousse sortit de sa bouche, son mari était terrorisé. Il ne savait pas quoi faire pour l'aider dans cette épreuve.

— Vindicta… vociféra-t-elle.

— Docteur ! que se passe-t-il ? demanda John.

— Je ne comprends pas, lui répondit-il. Le travail a lieu, mais je ne peux rien faire, le bébé arrive pourtant.

— Regardez ! cria John en saisissant le bras du médecin.

Une silhouette se déplaçait derrière Marie en faisant vaciller les flammes des bougies, puis une autre et encore une. Elles se suivaient en faisant un cercle autour d'elle. Les deux hommes s'étaient reculés promptement en voyant ce manège incompréhensible.

Pelham n'en pouvait plus, ses comparses essayaient de jouer de leur magie pour accélérer le processus, mais le chevalier se rendit compte que cette femme était plus forte qu'il ne le pensait. Il supposa que l'enfant serait du même acabit, cela l'inquiétait terriblement.

John resta sans voix. Ces apparitions le terrifiaient. Elles étaient indescriptibles et tellement abjectes.

Elles se mirent à tourner de plus en plus vite autour de la pauvre Marie en dégageant une odeur vraiment désagréable. Son corps se souleva légèrement du canapé et elle se mit à hurler toujours dans un langage qui n'était pas le sien :

— Mortem… Patiens… Non nocere.

Ces mots résonnèrent dans une ambiance aigre. Puis soudain, le corps de Marie retomba lourdement lorsque les spectres disparurent.

Pelham était à l'agonie. Un râle de désolation sortit du plus profond de ses entrailles.

Le docteur put se rapprocher de Marie et vit que l'accouchement reprit son cours normal. Les deux hommes se regardaient, mais ne pouvaient sortir aucun mot. Ils étaient muets devant une telle débauche d'événements auxquels ils étaient totalement étrangers.

Marie venait de rouvrir les yeux et prit la main de son mari en disant d'une voix faible.

— Tu vas bientôt devenir papa, mon chéri ! Mais qu'as-tu au visage ?

— Ce n'est rien, la rassura-t-il. Tu vas nous offrir le plus beau présent auquel nous ne pouvions espérer, je t'aime.

John, inquiet, se retourna vers le docteur.

— Nous aurions peut-être dû aller à l'hôpital.

— Non John, c'est beaucoup trop tard. Vu ce à quoi nous avons assisté, je pense que nous sommes mieux ici. Ne te fais pas de soucis, lui dit-il en lui mettant amicalement la main sur l'épaule. Tout va bien se passer.

Le chevalier d'Orcival était inerte sur le sol au pied de son cercueil. L'atmosphère était écrasante.

Un léger sifflement se fit entendre le long du couloir qui mène à la salle du trône, sûrement dû au vent.

Soudain, il se leva et mit un genou à terre, comme il l'avait fait pour sa cérémonie d'adoubement.

Il se remémora toute la scène. Il se revit entrer dans cet immense palais, se dirigeant d'un pas hésitant vers son roi. Il marchait lentement en observant tous les visages de l'assemblée qui le regardaient aussi. Il était jeune, peut-être une vingtaine d'années il ne se souvenait plus.

Il s'avança et se stoppa devant le souverain Héribert de Floxel. C'était un roi bon et juste. Il était énormément aimé de ses sujets. D'Orcival s'agenouilla devant lui et se fit adouber chevalier. Depuis ce jour, il ne fut plus le même. Il était devenu le monstre que nous connaissons.

Pelham se releva en prenant appui sur son cercueil, les douleurs étaient toujours présentes, mais ils les contrôlaient beaucoup mieux. Elles arrivaient avec un écart régulier.

Les contractions de Marie étaient de plus en plus rapprochées. Elle tenait la main de son mari avec vigueur. Elle souffla comme lui conseillait le médecin. Elle poussait quand il le lui demandait. Cela dura plusieurs minutes jusqu'à la délivrance.

Pelham poussa un dernier hurlement avant de s'arrêter net en se disant ces mots.

— Il ne pleure pas.

Fabri déposa aussitôt le nouveau-né sur la poitrine de sa mère, il était silencieux, presque bleu et froid.

John prit la main de l'enfant et se mit à pleurer.

— Il ne respire pas.

Le docteur voulut le reprendre pour l'aider à vivre, mais Marie le repoussa.

Elle le remonta pour mieux le voir et avec des larmes plein les yeux lui parla ;

— Tu… Tu dois vivre mon bébé, je t'en prie, seigneur ne nous le prends pas déjà. Mon petit ange, laissez-le-moi. Regarde-moi mon amour, respire s'il te plaît ; on t'avait choisi un joli prénom. Ne nous quitte pas, reste avec nous mon petit Lucas.

Marie déposa un tendre baiser sur le front de son bébé.

Pelham ressentit une étrange émotion qu'il ne connaissait pas, la tristesse. Il se dit que son calvaire allait continuer indéfiniment, son seul espoir venait de s'envoler.

Soudain, Marie ressentit un tressaillement traverser le petit corps sans vie. Puis elle vit sa bouche s'ouvrir pour laisser échapper un petit gémissement qui se transforma en pleurs francs et libérateurs. Ils venaient tous les trois d'assister à un grand miracle.

Pelham était soulagé. S'il avait eu un cœur, il aurait certainement ressenti du bonheur et de l'amour.

Malgré toutes ces souffrances et ces difficultés, l'inimaginable s'était produit. Lucas était bel et bien arrivé en ce bas monde.

Chapitre 10

Trois mois s'étaient écoulés depuis la naissance de Lucas. Marie avait eu beaucoup de mal à se remettre de cette épreuve, mais tout allait pour le mieux aujourd'hui. John et le docteur Fabri reparlaient souvent de ce qu'il s'était passé, mais sans vraiment chercher à comprendre. Ils préféraient ne plus aborder le sujet. Comment expliquer ces événements incompréhensibles ? Ils les garderont en mémoire sans jamais les oublier. Il était impératif d'aller de l'avant. La vie reprenait son cours normal. Tout se déroulait parfaitement bien pour cette nouvelle petite famille pleine d'amour. Le médecin passait régulièrement pour s'assurer que tout allait bien pour Lucas et sa mère.

Marie était en adoration devant son petit garçon qui était presque mort dans ses bras lors de son accouchement. Elle ne le quittait pas des yeux et prenait plaisir à le regarder se trémousser devant elle avec un sourire épanoui. Elle s'en occupait à merveille, elle le trouvait même trop calme.

Il faisait toutes ses nuits, un vrai petit ange. Il ne pleurait que rarement, Marie se rendait bien compte qu'il était très éveillé.

Il était attiré par tout ce qui l'entourait, aussi bien les objets que les êtres humains. D'ailleurs, les personnes qui venaient le voir étaient assez mal à l'aise devant son regard pénétrant et doux à la fois. Il pouvait fixer des personnes un long moment comme pour essayer de savoir ce qu'elles ressentaient ou ce qu'elles pensaient. Mais ils détournaient rapidement leurs regards et ne s'en préoccupaient plus. Ce n'est qu'un enfant de trois mois. Il est peut-être anormal, pensèrent-ils.

Marie ne travaillait plus pour le moment, elle s'occupait de son fils, elle voulait profiter de lui au maximum. Il faut dire qu'entre eux c'était fusionnel. La mort s'était invitée un court instant entre ces deux êtres.

John, lui, travaillait toujours à la coutellerie. La cloche de l'église sonna midi lorsqu'il rentra pour le déjeuner. Il embrassa sa femme et se précipita vers son fils qui gigotait par terre, sur une grosse couverture au milieu d'une multitude de coussins en essayant frénétiquement d'attraper ses pieds. Dès qu'il vit son père, Lucas s'arrêta et lui fit un sourire magnifique en tendant ses petits bras vers lui. John le porta à son cou et alla voir Marie.

— Regarde-moi ce grand gaillard, lui fit-il remarquer. Je ne pourrai bientôt plus le porter.

— Oh ! tu exagères ! Tu en as encore pour un moment à… Oh, regarde, tu as vu ?

— Quoi donc ma chérie. Qui y a-t-il ?

— Je… je ne sais pas, j'ai vu comme une petite lueur bleue dans son œil. Non, je m'inquiète pour rien. Oublie ça, c'est sûrement un reflet du soleil.

— Ce n'est pas grave, je te comprends. C'est qu'il nous a fait des frayeurs ce petit bonhomme dit-il en chatouillant le ventre de Lucas qui se mit à rire de bon cœur.

Marie acquiesça en les regardant tous les deux.

— Oui, c'est vrai. Bon, je vais servir le déjeuner si tu veux, sinon tu n'auras pas le temps de manger avant de repartir. Tu peux lui donner son biberon en attendant.

Il ne fallait pas le lui dire deux fois. John adorait s'en occuper, c'était pour lui un peu plus de temps passé avec son fils.

Après le déjeuner, John repartit travailler jusqu'au soir. Marie coucha Lucas dans son petit lit non loin d'elle et décida de se reposer un peu sur le divan.

Elle s'endormit rapidement, épuisée par sa journée commencée très tôt.

Elle sentit un regard se poser sur elle, mais n'arrivait pas à ouvrir les yeux. Elle ne parvenait pas à visualiser dans son esprit ce que cela pouvait être, l'image était floue.

Soudain dans son sommeil, elle crut entendre crier « maman ».

Elle sursauta, se leva et courut vers le lit de Lucas.

Elle constata qu'il dormait paisiblement, et se disait que c'était encore un de ces stupides rêves. Comment pourrait-il appeler sa mère à trois mois ? Elle lui donna un baiser sur la joue, lui sourit, et rassurée, elle retourna s'allonger.

*

Le père Abel se sentait mieux depuis quelque temps. Il remarquait surtout que les événements auxquels il était confronté depuis plusieurs mois avaient cessé. En fait, depuis la naissance de Lucas tout était calme, mais à sa grande tristesse il ne l'avait toujours pas vu. Il savait que cela lui était impossible d'aller chez les Delson, une force l'en empêchait. Il décida donc de les appeler.

— Allô ! Marie, c'est le père Abel, comment vas-tu ? Ton enfant se porte bien ?

— Bonjour, mon père, je suis contente de vous entendre, cela faisait longtemps. Je vais très bien et Lucas se porte à merveille.

— Quel joli prénom, vous avez bien choisi !

— Merci, mon père, mais vous devriez venir le voir, d'ailleurs il faudra que l'on discute de son baptême.

Abel hésita un instant.

— Euh… oui Marie, mais si tu veux bien je préférerais que tu passes à l'église un de ces jours, nous serons sur place pour parler de sa bénédiction.

— Si vous voulez, nous ferons comme ça. Je passerai prochainement, mais vous savez que vous êtes toujours le bienvenu à la maison.

Il avait des difficultés à répondre, ne voulant pas lui faire part de son mal-être, mais surtout ne pas lui faire peur.

— Oui merci, à l'occasion pourquoi pas, c'est gentil. Au revoir, Marie, prenez soin de vous.

— Au revoir, mon père.

Il raccrocha et se sentit un peu angoissé. Difficile d'expliquer une telle situation sans se faire passer pour quelqu'un proche de la folie.

Il commença à réfléchir au baptême en se disant qu'il n'avait pas eu l'occasion d'en faire depuis fort longtemps. Sa dernière célébration religieuse fut l'union d'un jeune couple venu s'installer récemment, Charline et Robert Béraud. Ils étaient les heureux parents d'un petit garçon né presque en même temps que Lucas. Ils l'avaient prénommé Julien. Ils étaient tombés amoureux de cet endroit et eux aussi étaient venus y fonder leur famille.

Robert travaillait dans une petite imprimerie un peu en dehors du village. Quant à sa femme Charline, elle avait cessé son travail de couturière pour s'occuper pleinement de son enfant. Ils connaissaient bien les Delson.

Le père Abel se disait que tout compte fait il y aurait peut-être un double baptême, cela le réjouissait.

L'après-midi était déjà bien avancé lorsqu'il décida d'aller au cimetière pour l'entretenir. Il mettait un point d'honneur à le faire lui-même. Parfois, il demandait un peu d'aide quand la tâche lui semblait trop harassante. Il commença à balayer les allées et à ramasser les divers détritus que le vent avait déposés ici ou là. Il arrangea les fleurs, remit debout les pots tombés et continua son chemin avec sa brouette jusqu'à la tombe centrale. Cette fameuse sépulture était pour lui la source de nombreux événements malsains, du moins les personnes qui y étaient inhumées.

Malgré tout, il restait toujours fasciné devant ce monument d'une beauté inouï. Il en fit le tour, la toucha et resta pantois devant ce travail de sculpture incroyable.

Il se surprit à avoir une pensée néfaste en sachant quelle personne se trouvait à l'intérieur.

Il pensait avec une petite pointe d'ironie que pour ce genre de personnage un simple trou aurait suffi, avec une croix en bois vermoulu.

Il se rendit compte de son blasphème et leva les yeux au ciel.

— Oui, je sais, je ne devrais pas avoir de telles pensées, mais c'est plus fort que moi.

Il se signa comme pour se faire pardonner.

Après avoir rangé ses outils, il se dirigea vers l'église pour voir si tout pouvait être prêt pour un baptême, voire deux.

En effet, les Béraud et les Delson avaient eu leurs enfants à quelques jours d'intervalle ce qui pourrait donner lieu à une très belle cérémonie.

Il marchait de long en large dans l'église en y réfléchissant, lorsqu'un claquement de porte vint le sortir de ses pensées. Il s'arrêta en se retournant, le bruit venait du presbytère.

En arrivant dans sa cuisine, il se figea sur le pas de la porte.

Une femme était assise à sa table. Elle était fine, vêtue d'une longue robe noire, d'un élégant chapeau orné d'un voile de dentelle sombre qui cachait son visage.

En entendant le père arriver, elle lui fit un signe de la main pour l'inviter à s'asseoir face à elle. Il s'exécuta sans trop savoir qui elle était et pourquoi elle était ici.

Une fois assis, il lui demanda avec insistance de se présenter. Il vit comme seule réponse la main de l'inconnue se lever lentement et se poser sur sa bouche pour lui faire comprendre de se taire.

— Vous saurez tout bien assez tôt, lui murmura-t-elle. Connaissez-vous Romaric de Vallerand ? Il a vécu il y a quelques siècles dans le manoir qui se situe à la sortie de ce village.

— Non, dit-il, en bafouillant un peu. Je connais ce bâtiment de vue seulement. Je crois qu'il appartenait à une personne peu recommandable en ces temps lointains.

— C'est faux, maugréa-t-elle sur un ton échauffé. La personne dont je vous parle a été le plus grand sorcier de son époque, il était très apprécié. Je vis dans ce manoir, je m'appelle Cécile de Vallerand, vous saisissez ?

— Vous… vous êtes…

Elle l'interrompit.

— Oui, sa descendance, et certaines choses commencent à se réveiller depuis plusieurs mois. J'ai eu des messages venant de Romaric, tout recommence.

94

Abel resta sans voix un instant puis lui demanda en quoi ceci le concernait tout en s'interrogeant au sujet de sa visiteuse.

— Ne vous inquiétez pas, dit-elle, je ne suis pas une sorcière si c'est cela qui vous perturbe. Je n'ai pas hérité de ce lourd fardeau. Vous savez, mon ancêtre a eu beaucoup d'élèves, mais a transmis son savoir à un seul d'entre eux. Le plus doué de tous, il ne demandait qu'à apprendre et il le fit avec une facilité incroyable. Pelham d'Orcival, vous avez un lien avec lui n'est-ce pas ?

— Comment le savez-vous ? C'est mon ancêtre apparemment qui a mis fin à ces processions meurtrières et macabres. Mais si j'en crois vos paroles, ce serait la faute de votre aïeul qui lui a tout appris. Comment expliquez-vous ceci ?

Elle se leva en tapant du poing sur la table avant de s'adresser au père sur un ton emporté.

— Ne redites jamais cela devant moi, misérable cancrelat ! N'osez plus dire un mot sur Romaric qui le mettrait en défaut ! C'était un grand sorcier et il était bon. Il ne pouvait pas savoir que son meilleur élève avait l'âme aussi noire que les ténèbres. Il ne savait pas que c'était un démon. Alors, mesurez vos propos. Je vous laisse, nous nous reverrons, et priez pour qu'il ne vous ait pas entendu, priez.

Elle tourna les talons et sortit en claquant la porte. Le père Abel était abasourdi par cette visite. Il repensa à tout ce qu'elle avait dit, puis se leva et courut dans la ruelle afin d'apercevoir cette étrange visiteuse encore un instant. Il ne vit plus personne, elle avait déjà disparu. Il rentra pour consulter ses archives, mais se rendit compte qu'il n'y avait absolument rien sur ce Romaric de Vallerand. Rien sur sa vie, sur sa mort, aucune date, comme s'il n'avait jamais existé.

*

Cécile de Vallerand arriva dans son manoir. Il était immense et se trouvait à la lisière d'un grand bois d'un côté et d'un lac de l'autre. Une haute clôture en fer forgé se terminant par des pointes acérées en faisait le tour. Ce lieu était devenu très touristique, mais personne ne savait vraiment qui y vivait, excepté certains villageois. D'ailleurs, ils se demandaient comment une femme seule pouvait entretenir une si grande bâtisse et autant de terrain. L'herbe était coupée à ras, les arbres et arbustes taillés impeccablement.

Par contre, ce qui choquait la plupart des promeneurs qui passaient devant, c'est qu'il n'y avait aucune fleur, pas une seule touche de couleurs, mis à part du vert à perte de vue.

Un lourd portail fermait la propriété. À côté était apposée une plaque en bronze ou était inscrit le nom du lieu : « Manoir de Vallerand ».

Juste en dessous, en plus petit, il y avait une inscription stipulant qu'il était strictement interdit d'y entrer sans avoir été invité, suivi de quelques points de suspension. Cela laissait planer un certain malaise pour les potentiels curieux.

Cécile marcha sur le chemin gravillonné pour atteindre la lourde porte en chêne qui donnait sur l'entrée du manoir.

Elle posa son chapeau qui libéra sa belle chevelure blonde et se dirigea vers un petit salon très accueillant. Une bûche crépitait dans la cheminée et les flammes dansantes projetaient des ombres sinistres sur les murs alentour. Elle s'approcha d'un petit bar et se servit un verre de liqueur avant de s'asseoir dans un confortable fauteuil près du feu. Elle but une gorgée et se mit à parler seule.

— Ça y est, j'ai vu ce prêtre comme tu me l'avais demandé. Tu as raison, il paraît très perturbé en ce moment, mais je pense qu'il ignore tout de ce qui va arriver.

Une voix rocailleuse se mit à résonner dans la pièce.

— Je sais, mais à force il comprendra. Après le baptême et lorsqu'il aura grandi un peu tout va s'accélérer, mais je serais là pour le guider.

— De qui parles-tu ? demanda Cécile.

— N'oublie pas que je suis un grand sorcier, rétorqua Romaric en éludant la question. J'ai échoué avec mon élève, je ne le laisserai pas seul dans cette épreuve. Du moins, j'essaierai, car je ne suis plus aussi fort et Pelham est très puissant. Il a déjà commencé son travail depuis quelques mois, je ne pensais pas qu'il serait encore assez lucide pour lever cette malédiction. Mais il est sur la bonne voie et je ne veux pas qu'il y arrive, il ne mérite pas le repos éternel. C'est pour cela que je ferai tout pour le guider vers le bien avec ces pouvoirs, tout en cherchant un moyen pour que ce maudit chevalier reste où il est, à tout jamais.

Cécile s'impatienta.

— Mais vas-tu me dire à la fin de qui tu parles ?

— De lui, cet enfant qui n'a rien demandé, mais qui est la réponse à beaucoup de choses. Il sera haï et détesté ou alors aimé et adoré, cela dépendra du chemin qu'il choisira. Mais je ferai tout pour le guider avec le peu de force qu'il me reste. Ce sera difficile pour Lucas, les pouvoirs de Pelham sont tellement puissants, il a tant puisé dans les ténèbres pour arriver à les changer que le chemin inverse sera rude, mais pas impossible. Tout est maintenant entre les mains de ce petit enfant. Que Dieu ait pitié de lui.

Chapitre 11

Charline était venue rendre visite à Marie pour l'après-midi. Les deux femmes étaient très complices ainsi que leurs enfants qui jouaient tels des jumeaux. Les mamans bavardaient tout en savourant une tasse de thé et en dégustant de succulents petits gâteaux que Marie avait préparés et dont elle gardait le secret.

Leur conversation revenait souvent sur le baptême. Elles trouvèrent formidable l'idée de faire une double cérémonie.

— Nous devrions en parler au père Abel, proposa Charline.

Marie acquiesça. Elles préparèrent Lucas et Julien, prirent les poussettes et s'en allèrent d'un pas joyeux.

Elles marchèrent dans la ruelle recouverte d'une fine pellicule de neige ce qui paraissait peu dans cette région montagneuse. Par contre, le froid était mordant. L'hiver était bien installé. En passant devant le cimetière, Marie remarqua que Lucas tournait la tête vers celui-ci. Elle regarda dans la même direction que lui et ses yeux se posaient sur cette tombe centrale. Lucas s'en détourna et reprit ses babillages.

Devant l'église, elles laissèrent leurs poussettes et portèrent leurs enfants. En pénétrant dans l'édifice, elles cherchèrent le père Abel du regard. Il les avait vues arriver et se dirigea vers elles en les saluant.

— Bonjour, quelle joie de vous voir, quels magnifiques enfants vous avez là !

— Bonjour, mon père, répondirent les deux femmes en chœur.

Il s'approcha de Julien qui lui fit un grand sourire. Il le prit un instant dans ses bras puis le rendit à sa mère. Il voulut en faire de même avec Lucas, mais celui-ci se mit à crier et pleurer en s'accrochant éperdument au cou de Marie.

— Je suis désolée, je ne sais pas ce qu'il a.

Elle dut mettre un long moment avant de le calmer.

— Ne t'en fais pas, réagit Abel d'un air préoccupé.

Il les fit entrer dans la cuisine de son presbytère en leur proposant un thé tandis qu'ils discutaient des modalités des baptêmes. Ils tombèrent d'accord sur une date, mais seulement au début du printemps mille neuf cent soixante-douze. La fête n'en sera que plus belle avec le retour des jardins fleuris et le doux chant des oiseaux sous un soleil un peu plus chaud qu'aujourd'hui. Le père Abel raccompagna Charline et Marie sur le pas de la porte en leur souhaitant une bonne journée. Lucas ne voulait toujours pas qu'il s'approche de lui, cela le désolait et l'intriguait fortement. Lui qui était adoré de tous, les enfants étaient toujours contents de le voir. Néanmoins, cela lui faisait extrêmement plaisir de pouvoir baptiser ces deux enfants au printemps prochain.

*

Cécile était pensive en regardant par la fenêtre les quelques flocons tomber. Toute cette histoire lui faisait peur. Elle se rendit dans la bibliothèque du Manoir où était classée une multitude d'ouvrages sur des pans de murs entiers. On y trouvait des romans à l'eau de rose, des biographies, des recueils de poèmes, des encyclopédies et surtout les journaux de son aïeul. Il avait tout noté soigneusement. Tous les élèves qu'il avait eus, tout ce qu'il leur avait appris. Sur une étagère un peu à part se trouvaient plusieurs calepins qui concernaient un seul adepte, son préféré : Pelham d'Orcival.

Cécile prit le dernier, alla s'asseoir dans un fauteuil et l'ouvrit à la première page. Elle les avait tous recopiés soigneusement pour ne pas abîmer les originaux qui se trouvaient dans le laboratoire du sorcier et rangés dans un coffre. Celui qu'elle avait choisi n'était pas rempli complètement, seulement quelques feuillets étaient écrits. Ils racontaient la fin de Pelham. Romaric arriva à cet instant, du moins son esprit qui était resté dans ce manoir. Il n'avait pas voulu quitter cet endroit tant que sa tâche n'était pas finie. Il s'adressa à Cécile sur un ton dépité.

— Ah ! tu es encore en train de feuilleter ce livre. À quoi bon ?

— Il me donne un peu d'espoir. Tu l'as bien arrêté une fois. C'est grâce à toi qu'il est mort.

— Oui, mais vois-tu, personne ne le sait. Tout le mérite en revient à ce bon Jean Abel.

Personne ne sait qui était ce fameux enchanteur qui l'avait fait prisonnier dans cette maison.

— Pourquoi n'as-tu pas voulu que l'on sache que c'était toi ?

— Je ne voulais tout simplement pas que mon nom lui soit associé.

— Pourquoi ? insista Cécile.

— Comment expliquer une telle erreur ? Comment crois-tu que la population aurait réagi en sachant que c'était moi ? Moi le grand Romaric de Vallerand, j'ai éduqué cet être démoniaque, ce félon qui a trahi son roi, cet être abject. Oui, c'est moi qui l'ai amené au summum de la magie, j'en ai fait le sorcier le plus puissant qu'on ait jamais connu et j'en ai honte.

— Tu ne savais pas ce qu'il allait devenir, affirma Cécile.

— Hélas, non ! il avait bien dissimulé son côté sombre, sa fascination pour le malin.

Mais une seconde chance s'offre à nous Cécile, nous allons aider Lucas, il ne faut pas qu'il suive le même chemin. Tu pourrais jouer un rôle important auprès de lui.

— Moi ? s'étonna-t-elle.

— Oui. Je pense que sa mère aura bientôt besoin d'une nourrice, du moins, je le sais. Tu pourrais profiter de l'occasion pour te faire embaucher chez eux.

— C'est une excellente idée, il n'y a pas de meilleur moyen pour veiller sur lui.

— Oui, mais tu devras faire très attention.

— À quoi ? répliqua Cécile, intriguée.

— Leur maison est surveillée par les sbires de Pelham. Ils empêchent l'intrusion du père Abel, mais toi, ils ne te connaissent pas et tu n'as aucun pouvoir. Tu ne devras jamais révéler ta véritable identité, j'espère qu'ils ne sauront pas que tu es une Vallerand.

— Ne t'en fais pas, je saurais être discrète.

Romaric la regarda d'un air inquiet.

— Imagine un seul instant s'ils devinent que tu es ma descendance. Le nom des Vallerand est gravé à tout jamais dans leurs âmes comme celui qui a mis fin à leur existence en les piégeant dans cette demeure. Crois-moi, leur désir de vengeance est loin d'être assouvi. Tu n'es pas obligée d'accepter…

Elle l'interrompit.

— Je le ferai, nous devons aider Lucas. Il faut en finir une bonne fois pour toutes.

Il la regarda en souriant, tendit sa main vers elle, qui en fit de même.

— Tu es bien de mon sang, noble, le cœur sur la main, prête à aider ton prochain. Je serais encore de ce monde, j'aimerais te serrer contre moi.

Elle s'approcha de lui et passa ses bras autour de son cou. Si à cet instant quelqu'un voyait cette scène, il verrait une femme, seule, lever les bras vers le ciel en se blottissant contre du vent.

*

Pelham s'était remis de l'épreuve de l'accouchement. Il se sentait plus revigoré que jamais. Peut-être parce qu'une infime partie de lui vivait en cet enfant. Il avait essayé à plusieurs reprises d'entrer en contact avec lui, mais en vain. Sans doute était-il trop jeune. Il s'impatientait de plus en plus. Le temps lui paraissait incroyablement long depuis l'arrivée de Lucas. Il lui tardait qu'il grandisse pour enfin pouvoir accomplir sa tâche.

Il cessa de penser et se mit à parler avec Jasper.

— Comment va-t-il, tout se passe bien ?

— Très bien, tout se déroule à merveille, cependant je trouve quelque chose assez étrange.

— Quoi donc requit Pelham ?

— C'est ce Lucas, j'ai l'impression qu'il me voit ou qu'il me ressent.

— Qu'est-ce qui te fait penser ça ?

— Il n'arrête pas de sourire dans ma direction et de me tendre ses jouets ou de me les jeter dessus.

Pelham était perplexe. Il hésita un instant avant de répondre à Jasper.

— Tu devrais te montrer une fois face à lui pour voir sa réaction, mais seulement à lui.

— Bien comme tu voudras, j'essaierai.

Lucas était allongé dans son couffin en osier et s'amusait tantôt avec ses pieds tantôt avec les nombreux jouets qui étaient autour de lui. Marie cuisinait le repas du soir, elle écoutait son bébé chantonner et cela la faisait plutôt sourire.

Elle entendait aussi souvent des jouets tomber au sol et donc faisait l'aller-retour entre la cuisine et le salon pour les lui redonner.

Soudain, plus aucun éclat ne venait à ses oreilles. Elle s'essuya les mains et se retourna. Elle vit dans l'embrasure de la porte Lucas tendre les bras, sans un bruit. Elle s'avança un peu et poussa un cri d'effroi en courant vers son bébé. Elle le prit dans ses bras pour le protéger, mais il ne pleurait pas, bien au contraire.

Il n'était même pas apeuré, pourtant elle était sûre d'avoir vu une forme spectrale s'approcher de Lucas. Elle regarda tout autour de la pièce, en serrant son enfant contre elle, mais ne remarqua rien d'étrange. Elle remit le petit dans son couffin et revit une fois de plus une sorte de lueur bleue dans ses yeux. Elle se recula lentement en le fixant, mais l'étincelle dans son regard avait disparu. Lucas reprit ses activités ludiques. Marie ne savait plus quoi penser, elle resta un long moment les mains sur ses joues à regarder son fils. Elle se sentait tellement perturbée par ce qu'il venait de se passer. Elle était perplexe et n'était plus certaine de ce qu'elle avait vu.

Elle lui parla doucement.

— Lucas, mon chéri, ça va ? Oh ! que Dieu te protège.

Elle lui replaça une mèche de cheveux sur le front et il se retourna en lui faisant un grand sourire pour la rassurer.

*

Le chevalier d'Orcival était d'humeur revêche.

— Jasper, comment as-tu pu être aussi lamentable ? Tu n'es pas un débutant pourtant, je t'ai connu plus discret et plus efficace.

— Désolé, je ne sais pas ce qui m'a pris, une fois devant lui je ne pouvais plus bouger, comme hypnotisé par ses yeux. Il est très envoûtant, pardonne-moi Pelham.

— Ne me déçois plus. Tu as beau être mon ami, tu sais de quoi je suis capable. Lorsque j'aurai retrouvé mes pouvoirs… Non ! oublie ce que j'ai dit.

— Ce n'est pas le but Pelham, qu'as-tu donc en tête ? Nous devons seulement trouver le repos éternel.

— Oublie ceci, te dis-je. Ne me contrarie plus une seule fois, hurla-t-il.

— Qu'as-tu mis en cet enfant le premier jour ? demanda Jasper.

— Tu le sais très bien, et ne m'ennuie plus avec tes questions stupides.

— Mais Pelham pourquoi ne pouvais-je plus rien faire devant lui ? Si cette femme n'avait pas crié, je ne sais pas ce qu'il se serait passé.

— Tu n'as pas à le savoir ; tu es devenu trop faible, c'est tout.

Jasper haussa le ton à son tour.

— Non ! c'est faux, il y a autre chose. Après tout ce que nous avons vécu ensemble pourquoi ne me fais-tu plus confiance ?

— Cesse de m'importuner Jasper, ici c'est moi qui décide de ce qui doit être fait.

— C'est faux Pelham, nous sommes douze à tes côtés. Nous sommes aussi sous le coup de cette malédiction. Tu dois tout nous dire, je te sens empreint de mauvaises intentions une fois de plus.

— Ah ! ah ! ah ! s'esclaffa Pelham, tu as des remords à présent. Toi le grand Jasper Gavyne n'hésitant pas à tuer ou à violer ces femmes lorsqu'on lui demandait. Toi qui obéissais à toutes mes exigences sans dire le moindre mot. Que veux-tu qu'il t'arrive, tu es mort, vous êtes tous morts.

— J'aspire juste au repos éternel, déclara Jasper. On a une occasion d'y accéder, ne va pas tout gâcher. Je sais que tu es habité par la vengeance, mais c'est trop tard, ça ne sert plus à rien. Laisse-nous partir comme nous l'avait promis le prêtre. Tous nos compagnons sont d'accord avec moi.

— Bande de poltrons, vous ne voyez pas ce que je vais vous offrir. J'ai eu cinq siècles pour y penser ; ne vous êtes-vous pas assez reposé, toi et tes... laquais ? Laisse-moi rire, vous me devez obéissance et vous ferez ce que je dis comme d'habitude. Tu me remercieras le moment venu.

— Je n'en suis pas si sûr. Ne recommence pas comme par le passé, suis le chemin qui nous est donné, ne t'en éloigne pas. Tu n'es pas seul dans cette histoire. Ton discours est le même que celui que tu avais tenu lorsque tu nous avais recrutés. Tu nous avais promis richesses, gloire, amour et j'en passe. Certes, nous avons tout eu, nos maisons étaient remplies d'or, nous étions craints de tous quant à l'amour il n'était jamais réciproque, mais on se servait lorsqu'on le désirait. C'était cinq cents ans en arrière. C'est fini Pelham, ce temps n'existe plus.

— Tais-toi, cria le chevalier d'Orcival, tu ne comprends rien. J'ai passé presque toute ma vie à être le plus grand sorcier, grâce à ce vieux fou de Vallerand. Il me croyait bon... foutaises. Tu as raison sur un point, vous avez eu tout ce que je vous avais promis et même plus. Mais là où tu te trompes, c'est que ce temps n'est pas révolu, il va recommencer.

Chapitre 12

Le printemps venait de débuter, les bourgeons commençaient à sortir et à recouvrir les arbres. Les quelques cerisiers du village se paraient de leur plus belle fleur rose. Les oiseaux chantaient à nouveau. Ils étaient heureux d'être sortis de la torpeur de l'hiver. Lucas grandissait bien, sans aucun problème, et Marie, malgré l'amour qu'elle lui portait, s'ennuyait un peu de son travail. Il faut dire qu'elle était passionnée par la pâtisserie et son poste à la boulangerie lui manquait un peu. Elle décida d'en parler à John qui était dans le jardin, en ce dimanche printanier, pour profiter un peu des premiers rayons du soleil. Il essayait de faire marcher son fils en lui tenant les mains et en l'encourageant. Marie secoua la tête en souriant et en s'approchant de John.

— Mais laisse-lui le temps de grandir, mon chéri. Tu verras, quand il marchera tu seras obligé de courir derrière.

— Tu as raison, remarqua John en portant Lucas dans ses bras ; ne précipitons pas les choses.

Il embrassa sa femme, mais lui trouva un air préoccupé.

— Quelque chose ne va pas ?

— Tu vas me trouver idiote, lui avoua-t-elle, mais je m'ennuie, j'ai besoin de reprendre mon travail. Seulement à mi-temps pour le moment juste l'après-midi par exemple.

— Je trouve cela plutôt normal, mais comment ferons-nous pour Lucas ?

— Je pense que nous pourrions mettre une annonce dans les différents commerces du village. Et quand nous aurons trouvé la perle rare pour notre petit amour je reprendrai mon travail. Qu'en penses-tu ?

— Je suis d'accord. Nous allons écrire notre annonce, et regarde cette petite bouille, qui pourrait lui résister ?

— En effet approuva Marie en prenant Lucas dans ses bras et en faisant un sourire malicieux à John qui comprit aussitôt.

— D'accord, je vois. C'est papa qui va écrire, c'est parti.

Il se mit à la table du salon pour rédiger l'annonce, en n'omettant pas de signaler qu'il s'agissait seulement de quatre après-midis par semaine, car Marie ne travaillerait pas le mercredi.

*

Le lendemain, Cécile de Vallerand était de sortie. Romaric lui avait conseillé d'aller faire un tour au village. Il se pourrait qu'elle tombe sur une annonce intéressante, lui avait-il glissé à l'oreille. Elle avait bien compris qu'il était au courant de la démarche des Delson. Elle devait se hâter pour que personne d'autre ne puisse prendre cet emploi si important.

Elle traversa la forêt, arpenta la ruelle puis arriva sur la jolie place de l'église.

Il y avait un peu de monde et tous les commerces étaient ouverts. Elle passa devant la quincaillerie et devant la boulangerie où elle vit les annonces affichées aux vitrines.

Elle s'approcha de l'une d'elles pour relever l'adresse et se dit qu'elle devrait rendre visite à cette famille sans plus attendre.

Elle parcourut la rue des Noisetiers en cherchant le numéro six, qu'elle trouva assez rapidement. Elle frappa à la porte et attendit un court instant avant de voir celle-ci s'ouvrir.

Marie l'accueillit.

— Bonjour, que puis-je pour vous ?

— Bonjour, madame, j'ai vu votre petite annonce et je serai intéressée par l'emploi proposé.

— Ah ! très bien, entrez, je vous en prie.

Marie la conduisit dans le salon où elle l'invita à s'asseoir. Elle lui offrit un café avant de lui demander quelles étaient ses différentes qualifications et ses motivations. Marie fut conquise par ses réponses et sa personnalité.

— Je pense que je vais vous engager, mais au fait, je ne vous ai pas demandé votre nom.

— Excusez-moi. Je suis Cécile de…

Elle eut un bref moment d'hésitation se souvenant de ce que lui avait dit Romaric. Il ne fallait surtout pas qu'elle donne sa véritable identité, elle se ressaisit rapidement.

— Chevin, Cécile Chevin.

— Bien moi, c'est Marie Delson.

— Delson souligna Cécile, ce n'est pas un nom courant par ici.

— Oui, c'est vrai, c'est mon époux qui est originaire des États-Unis.

— Un Américain qui est venu se perdre ici.

— Non, confia Marie en souriant, il est né en France, son père est américain, il ne voit pas souvent ses parents d'ailleurs.

— Je comprends, mais je ne voulais pas être indiscrète.

Elle aurait voulu se confier un peu plus sur ses parents qu'elle n'avait pas connus et sa vie seule dans ce grand manoir, mais elle ne le pouvait pas. Son identité et son histoire devaient rester secrètes.

Marie reprit la conversation en la conduisant vers son fils.

— Eh bien ! voilà, je vous présente Lucas, c'est lui qui va occuper vos après-midis.

Cécile le prit dans ses bras.

— Bonjour, mon grand.

Lucas fit un grand sourire en jouant avec les longs cheveux blonds de sa future nourrice.

— Je crois qu'il vous apprécie bien, remarqua Marie.

Cécile avait appréhendé ce moment, elle savait qu'une partie des pouvoirs du chevalier d'Orcival était dans cet enfant. Elle avait peur que Lucas ressente la présence des Vallerand en elle. Il n'en était rien, comme elle l'avait dit au père Abel elle n'était pas une sorcière. Pelham ne pouvait donc rien savoir à son sujet, au pire il apprendrait qu'elle habite le manoir. Mais ce n'est pas là une raison pour s'en méfier.

Cécile remit Lucas dans son parc en bois et termina sa conversation avec Marie en lui promettant qu'elle serait là le lendemain après-midi.

Marie était très contente de pouvoir reprendre son travail. Après avoir raccompagné Cécile, elle revint vers Lucas. Elle s'arrêta net devant lui en le voyant le bras tendu, pointé dans une direction derrière elle. Elle se retourna et ne vit rien à part l'escalier qui mène à l'étage.

Elle le porta et monta les marches. Arrivée en haut, Lucas lui désignait toujours la porte du grenier.

— Non mon chéri chuchota Marie, tu ne peux pas aller ici c'est poussiéreux et il n'y a rien pour toi. Ce ne sont que des vieilleries que nous avons entassées avec papa.

Voyant l'insistance de Lucas qui restait figé dans la même position, elle ouvrit la porte et mit en marche la lumière que John avait installée récemment.

— Tu vois, il n'y a rien d'intéressant pour toi ici.

Il fixa le mur en face de lui puis baissa le bras avant de se blottir contre sa mère.

Elle redescendit sans trop comprendre et le mit dans son parc, le pensant fatigué. Il recommença à s'amuser comme si de rien n'était.

Le soir venu, Marie raconta sa journée à John et lui apprit avec une grande satisfaction qu'elle avait engagé une certaine Cécile Chevin comme nourrice. Il était vraiment heureux pour sa femme, il voyait que cela lui faisait plaisir de retrouver sa place à la boulangerie.

*

Pelham ne se remettait pas vraiment de ce discours avec Jasper. Il se demandait s'il pouvait avoir encore confiance en lui. Il craignait de se retrouver seul dans cette aventure. Il ne décoléra pas et rumina cette histoire.

— Pff... je suis le grand Pelham, je n'ai besoin de personne, déclama-t-il. Je me suis fait tout seul et je serais encore seul s'il le faut. Lucas sera là pour moi, il m'aidera. Je l'aiderai aussi, nous serons tellement puissants tous les deux.

Il interrompit ses pensées et s'interrogea.

— Mais qui est cette femme, je ne la connais pas. Ma foi, elle fera une bonne nourrice pour Lucas. Je ressens au plus profond de lui un certain bonheur, il doit l'apprécier, tant mieux. Si cela lui convient, cela me convient aussi. Je revis en toi Lucas, je saurais te détourner de tes ennemis et cette femme n'en fait pas partie, je ne sens rien d'occulte en elle.

Il tourna en rond, devant les cercueils vides de ses compagnons. Tout en ricanant, il reprit le même discours.

— Minable, c'est tout ce que vous êtes, voilà votre avenir, rester dans ces boîtes pour l'éternité. C'est ce que vous voulez n'est-ce pas ? Vous me décevez grandement, j'ai de vastes projets pour nous. Si cela n'est pas votre voie, eh bien, soit, allez au diable.

Dans un accès de fureur, il déclencha une véritable tempête qui souleva la terre du sol et se transforma en un tourbillon dévastateur. Les douze cercueils de ses compagnons étaient complètement pulvérisés.

Cet acte avait une énorme importance, Pelham le savait. En faisant ceci, il condamnait ses hommes à rester où ils étaient, dans ce monde et dans la demeure des Delson.

Ils ne trouveraient jamais le repos éternel. Leur seule issue sera de suivre à nouveau le Chevalier d'Orcival ou alors de rester prisonniers dans cette vie.

Jasper se matérialisa près de Pelham en criant.

— Qu'as-tu fait ? Te rends-tu compte de ton geste ?

Il regarda son second d'un air narquois et rétorqua sur un ton austère.

— Bien sûr ! je sais ce que je fais, j'ai toujours su ce que je faisais, mais tu vois, ma tombe est intacte.

— À quoi bon ? tu sais que chaque cercueil est propre à chaque être. Comment allons-nous faire ? Tu as détruit nos passages vers l'au-delà. Nous sommes désormais condamnés à errer ici, même si l'enfant réussit. Pourquoi cette réaction de ta part ?

Phelam prit son temps pour réagir.

— Ce que j'ai prévu je peux le faire seul, mais en y réfléchissant bien, la tâche serait plus aisée avec toi et nos compagnons à mes côtés, comme autrefois.

Jasper essaya de le raisonner.

— Qu'as-tu prévu ? Tu n'aurais pas dû faire ça. Nous aurions dû suivre ce que ce prêtre avait dit. Tout aurait pu se finir dans peu de temps, nous étions proches de la fin de notre malédiction. Tu as tout gâché Pelham, toi seul peux emprunter le passage désormais. Comment pouvons-nous te faire confiance maintenant, même si nous n'avons plus d'autres choix que de te suivre ? Je te croyais mon ami, presque mon frère.

— C'est le cas, du moins ça l'était jadis. Nous ne sommes plus faits de chair et de sang, dois-je te le rappeler ? Il n'y a plus d'amitié, plus de fraternité, plus rien tu comprends ? Je ne finirais pas ici à voyager entre ces deux mondes. Par contre, je te permets d'emprunter mon cercueil pour aller de l'autre côté.

— Tu es malfaisant Pelham, tu sais bien ce qui arrivera si je me sers de ton passage. Tu connais très bien les règles, je ne reviendrais pas seul ici. Ils nous surveillent.

— Je sais, affirma Pelham en ricanant, ils nous seront sûrement très utiles, qui sait !

Jasper était abasourdi par ce qu'il venait d'entendre, il savait que de l'autre côté les règles étaient strictes. C'était l'endroit où restaient tous les êtres sous le joug d'une anathème. Le seul passage pour y accéder est la tombe avec laquelle les défunts sont mis en terre. Grâce à ceux-ci, ils ont accès à la Citadelle de Clamor.

C'est un vaste lieu où les âmes sans repos errent et résident. Il n'y a aucun paysage, aucun animal, aucune vie, seulement des murs de pierre noire et le vide absolu. Chaque caveau est présent sous forme de salle obscure dans cette citadelle et les cercueils y sont placés à même le sol.

Ce sont des portails pour accéder au monde des mortels, pour que chacun puisse payer sa dette ou accomplir une tâche spécifique afin de conjurer sa malédiction et avoir droit au repos éternel.

Mais il y a un règlement, comme partout et les Veilleurs des Abîmes se chargent de le faire respecter. Ils sont sans âmes, d'une apparence repoussante. Ils n'ont pas de visages à proprement parler, juste un brouillard sombre avec une petite lumière bleue presque aveuglante en son centre.

Chacun doit venir fixer ce rayonnement en se plaçant devant eux, revoir ainsi toute sa vie défiler, et assister aux pires méfaits qu'ils ont commis puis revivre leur trépas. Ce dernier point est très intense et douloureux, car ils ressentent leurs morts physiques amplifiés à un degré inimaginable. Ils sont obligés de le faire régulièrement pour se souvenir pourquoi ils sont ici et ne pas oublier le mal qu'ils ont fait pendant leurs passages du côté mortel. Ainsi la plupart se repentent et accélèrent leur retour pour le salut de leurs âmes. Les autres restent ici indéfiniment et deviennent peu à peu des gardiens de la Citadelle de Clamor, sans aucun souvenir, sans âmes, ils n'existent plus.

Les Veilleurs des Abîmes sont vêtus d'une toge noire bordée de signes dorés et de dessin incompréhensible pour les défunts n'étant jamais venus à la Citadelle. Ils résument simplement les règles du lieu. Ils sont ici pour surveiller les passages d'un monde à l'autre. Ils ont également la tâche de pourchasser et détruire définitivement tout être qui ne respecte pas les lois. Leurs réputations d'entités cruelles, barbares et tenaces, ne sont plus à démontrer. Ils peuvent emprunter le passage et traquer leurs proies aux yeux de tous dans chacun des deux mondes.

C'est cela que craignait Jasper s'il empruntait le passage de Pelham. Et bien sûr, il enfreindrait la première règle et serait certainement la pâture des Veilleurs. Il reprit son discours avec le chevalier.

— Comment peux-tu penser qu'ils pourraient nous être utiles ? Tu les connais comme moi. Tu te crois au-dessus de leurs lois ?

— Ne dis pas de sottises, je sais très bien qu'ils sont trop puissants pour moi, mais tu oublies Lucas.

— Eh bien ! quoi ? c'est un enfant.

— Certes pour le moment, mais mes pouvoirs sommeillent en lui.

— Et alors, répliqua Jasper, il doit faire le bien et si je me souviens de notre passé lointain, tu serais plutôt du côté opposé non ? Comment veux-tu qu'il t'aide, dis-moi ?

Pelham se mit face à lui, très près, pour lui expliquer.

— Décidément, ces cinq siècles passés ici t'ont beaucoup changé ; tu n'es plus aussi vif qu'avant. Réfléchi un peu, il possédera mes pouvoirs pour faire le bien, MES pouvoirs. Te souviens-tu de ce que j'ai dû faire pour les amener à un tel niveau ? Tout au long de sa vie, Lucas devra se battre et choisir son camp et j'ai une partie de moi en lui…

Jasper le coupa.

— C'est donc cela que tu as mis en lui le premier jour, une partie de ton âme noire ?

— Exactement, ça ne devait être que mes pouvoirs selon la malédiction, mais je ne pouvais pas me contenter de cela.

— Mais alors tu vas…

— Oui, moi le grand chevalier d'Orcival je vais tout faire pour pousser cet enfant à suivre ma voie. Je vais faire de Lucas le plus grand sorcier noir de ce siècle et ainsi il tuera pour moi. Ma vengeance se dessine à la perfection.

La phrase de Pelham se termina dans un grand rire de satisfaction.

Chapitre 13

Cécile de Vallerand se préparait à quitter le manoir lorsque Romaric vint lui parler.

— Alors ça y est ? C'est ton premier jour en tant que nourrice ?

— Oui, madame Delson reprend son travail aujourd'hui.

— Très bien, tu vas prendre soin de Lucas, et ne t'inquiètes pas s'il te paraît étrange par moment. Il faut garder à l'esprit qu'il n'est pas un enfant comme les autres. Il a de grands pouvoirs enfouis en lui qui vont apparaître petit à petit et chaque jour plus intensément.

— Oui, je sais, mais tu seras là pour veiller sur nous en cas de besoin, n'est-ce pas ?

— Hélas non ! Pelham a pensé à tout. Il a mis ses hommes dans cette maison pour en interdire l'accès au père Abel et à toutes personnes qui pourraient lui nuire. Impossible de m'en approcher, tu en connais les raisons. De toute façon, je te serais moins utile s'ils savent que je suis encore en ce monde.

— Ils ne t'ont pas vu à la Citadelle de Clamor ?

— Oh non ! grand Dieu. Je n'ai pas été maudit moi, je n'avais rien à faire là-bas. Si je suis encore ici sous cette forme, c'est que mon statut m'a permis de faire ce choix. C'est en restant dans mon manoir que je pourrais agir davantage. De plus, tu pourras me servir d'intermédiaire avec Lucas. Personne ne te connaît et ne sait que tu es une Vallerand.

— Excepté le père Abel qui est au courant, rajouta Cécile.

— Oui, mais ce n'est pas un problème, ce prêtre est un peu perdu. Il a juste le malheur d'être le descendant de celui qui a ordonné la mort de Pelham et de ses amis. Je pense que si le Chevalier arrive à ses fins, ce sera une de ses premières victimes.

— Que sais-tu des desseins de Pelham ? demanda Cécile ?

— Malheureusement pas grand-chose, mais le connaissant bien, je doute qu'il suive les règles. J'ai un très mauvais pressentiment. Je commence à interpréter beaucoup de signes divers et j'ai bien peur que son but ne soit pas le repos éternel. Des heures sombres risquent d'arriver et à notre époque elles seraient catastrophiques. C'est pour cela que je te demande de bien veiller sur Lucas et de tout me raconter à son sujet.

— Ne t'en fais pas, je m'occuperai bien de lui et je serai très attentive.

Elle lui envoya un baiser de la main en franchissant la porte du manoir. Elle marchait d'un pas rapide tout en repensant à ce que lui avait dit Romaric. Elle essaya de se rassurer en fredonnant une petite mélodie à laquelle lui répondait les oiseaux sur son chemin.

À l'entrée du village, elle stoppa net. Elle reconnut le père Abel qui marchait dans sa direction, certainement pour emprunter le sentier qui contournait le cimetière.

Il avançait la tête baissée, le nez sur une feuille de papier lorsqu'il s'arrêta à son tour. Il leva lentement les yeux et aperçut Cécile. Elle s'approcha de lui.

— Bonjour ! mon père ! lui dit-elle, en espérant qu'il ne la reconnaisse pas.

— Bonjour… Mais attendez, vous êtes cette femme… celle qui est venue chez moi.

Cécile eut l'impression qu'une chape de plomb lui tombait dessus.

— Euh… oui en effet, mais ne vous méprenez pas, je ne vous veux aucun mal.

— Pourquoi m'avoir dit tout cela alors ? requit le père avec la voix tremblante ?

— J'étais énervée et un peu perdue, ne m'en veuillez pas.

— J'ai cherché ce nom… Vallerand, mais je n'ai rien trouvé et…

Elle l'interrompit.

— Chut ! je, vous en prie, ne parlez pas si fort, je ne suis pas votre ennemie. Je n'ai pas le temps de vous expliquer ; je me rends chez les Delson. Mais si vous le souhaitez, je passerai chez vous vers dix-huit heures quand monsieur Delson sera rentré. Je vous expliquerai tout, promis.

Abel hésita un instant.

— Bon… d'accord, je vous attendrai au presbytère.

— Merci, à tout à l'heure.

Elle reprit sa route en étant suivie du regard par le père Abel qui était un peu décontenancé. Il l'avait vue si agressive et irrespectueuse chez lui et là c'était une tout autre femme. Il haussa les épaules et reprit lui aussi son chemin.

Cécile arriva. Marie l'attendait sur le pas de la porte, prête à partir.

— Bonjour, madame. Je suis désolée, je suis en retard, quelques petits imprévus en cours de route.

— Bonjour mademoiselle Chevin, ne vous en faites, pas je travaille juste à côté. Bon Lucas dort pour le moment, il y a tout ce dont vous avez besoin sur la table pour le changer, et dans la cuisine pour le faire manger. Je vous laisse, vous pourrez partir quand mon mari sera de retour. Bon après-midi.

— Merci, madame, bon courage à vous.

Elle referma la porte à clef derrière elle, ôta sa veste et se rendit dans la chambre de Lucas au premier étage. Elle le vit dormir à poings fermés et elle ne put s'empêcher de l'embrasser sur le front. Elle lui caressa le ventre en lui chuchotant quelques mots.

— On ne peut pas dire que tu sois né au bon endroit mon petit, mais ne t'en fait pas nous veillerons sur toi, tu n'es pas seul.

Elle ressortit de la chambre et redescendit au salon en attendant qu'il se réveille. Elle regardait autour d'elle en imaginant les personnes qui étaient dans ces murs, les hommes de Pelham. Elle ne ressentait rien du tout, même pas une présence néfaste, cela devait être réciproque puisqu'elle était ici face à eux sans aucun problème.

Elle se promenait dans la maison en regardant la décoration, les meubles. Elle trouva que c'était aménagé avec goût et eut du mal à se faire à l'idée que cette maison appartenait à la famille d'Orcival depuis si longtemps. Elle se demandait même combien de secrets pouvaient cacher ces murs.

Elle fut sortie de ses pensées par les pleurs de Lucas qui venait de se réveiller. Elle monta le chercher et le mit sur le canapé pour le changer. Elle était affairée à l'habiller lorsque son regard fut attiré par une petite tache de naissance sur l'intérieur de sa cuisse. Elle l'observa de près et lui trouva une forme un peu spéciale. Elle se saisit d'une loupe qui se trouvait sur le bureau à côté du salon, et regarda à nouveau.

Elle vit deux taches en fait. Une plus grosse qui était surmontée d'une petite. La plus petite ressemblait à un simple point. Quant à l'autre en dessous elle voyait deux genres de traits s'entremêler. Rien de bien précis, elle ne pensait pas que les Delson s'y étaient attardés. À l'œil nu difficile de distinguer quoi que ce soit. Elle se disait qu'elle en parlerait à Romaric, en finissant de remettre les vêtements à Lucas.

Le reste de l'après-midi se passa entre divers jeux et goûter lorsque John rentra de son travail.

— Bonsoir, mademoiselle Chevin, tout s'est bien passé, il ne vous a pas trop embêtée ?

— Bonsoir, pas du tout monsieur Delson, c'est un vrai petit ange.

— Très bien donc, je vous libère et je vous dis à demain.

— À demain, monsieur, au revoir.

Elle remit sa veste, reprit ses affaires et sortit de la maison. Elle n'avait pas trouvé nécessaire de lui parler de la tache pour le moment.

Cécile se dirigea vers l'église comme elle l'avait promis au père Abel. Elle frappa à la porte du presbytère et le père lui ouvrit presque instantanément en l'invitant à entrer. Il avait hâte de l'entendre.

Il avait pensé à cette rencontre depuis qu'ils s'étaient croisés ce midi, il espérait avoir des réponses à ses nombreuses questions.

Il entama la discussion.

— Je vous remercie d'avoir tenu votre promesse et d'être venue me voir.

— Je suis une femme de parole et vous devez être au courant de certaines choses qui vous concernent aussi.

— Bien, désirez-vous une tasse de thé ?

— Avec plaisir, merci.

Il mit de l'eau à chauffer et prépara les tasses pendant que Cécile commença son histoire.

— Avant toute chose, je vous ai dit mon véritable nom à notre première rencontre, mais je vous demanderai d'être discret à ce sujet. Les Delson me connaissent sous l'identité de Cécile Chevin et j'aimerais que cela en soit de même pour vous.

— Je ne vois pas le rapport que vous avez avec ces personnes, mais si vous y tenez.

— Vous allez comprendre, je suis la nourrice du petit Lucas et je m'occupe de lui lorsque monsieur et madame Delson travaillent. Et par la même occasion, je dois veiller sur lui.

— Pourquoi donc ? coupa le père Abel.

— J'y viens. Vous connaissez le chevalier d'Orcival, je suppose ?

— Je le connais que trop bien. D'après ce que j'ai pu savoir, ce serait mon ancêtre, Jean Abel, qui aurait mis fin à ses chevauchées criminelles.

— Exactement affirma Cécile. Et au sujet de la malédiction, que savez-vous ?

— Seulement ce qui est écrit sur la tombe « Maudit à tout jamais ».

— Oui, mais cela va beaucoup plus loin que ces quelques mots disent Cécile en portant la tasse de thé à ses lèvres. Le chevalier est toujours dans ce village.

Le visage du prêtre blêmit, il faillit renverser son thé.

— Ne vous inquiétez pas, le rassura Cécile, il est mort, mais il n'a pas eu droit au repos éternel, il n'est plus aussi puissant qu'il a pu l'être auparavant.

— Donc, il doit faire quelque chose pour trouver son salut.

— Oui, un être qui n'est pas issu de sa lignée et qui naîtra dans sa maison devra faire le bien autour de lui avec ses pouvoirs.

Le père Abel demeura interdit quelques instants, puis comprit la situation.

— Mon Dieu... non, les Delson... Lucas, c'est donc lui qui en a hérité.

— Tout à fait et sa demeure est très bien gardée sans qu'on le sache. C'est pour cela que ma véritable identité doit rester secrète.

— Je comprends mieux alors mes malaises à l'approche de cette maison, ils ne veulent pas de moi. Mais vous, pourquoi cacher ainsi votre nom ?

— Souvenez-vous, lui remémora-t-elle, c'est mon ancêtre Romaric de Vallerand qui lui a tout enseigné. Ils ne ressentent rien en moi, car je ne suis pas une sorcière comme je vous l'avais déjà expliqué.

— C'est exact, je me souviens. Mais dites-moi pourquoi et comment votre ancêtre en a fait ce qu'il est devenu par la suite ?

— Si vous avez un moment, je vais vous raconter, lui proposa Cécile.

Abel hocha la tête dans un mouvement d'approbation.

— Je vous écoute.

*

Nous sommes en l'an mille quatre cent cinquante et un. Le sorcier Romaric de Vallerand quittait son ami, le père Jean Abel, pour se rendre sur le lieu où il avait ordonné la construction d'une magnifique bâtisse.

Il avait trouvé un coin fort agréable juste à la sortie du village. Il avait jeté son dévolu sur une grande prairie située entre un lac et une forêt. L'endroit parfait selon lui pour y vivre et surtout pour être en communion avec les éléments durant ses travaux ésotériques.

Il était en vue de l'édifice qui était à ses yeux loin d'être terminé. Il était de nature très compréhensive, mais ne supportait pas la lenteur des travaux.

Il s'approcha du maître d'œuvre qu'il connaissait très bien, mais cela ne l'empêcha pas de le bousculer un peu de temps en temps.

— Alors mon cher Nhéos, comment cela se présente-t-il ?

— Ah ! seigneur Vallerand, quelle bonne surprise, tout va pour le mieux.

— En es-tu bien sûr Nhéos ? Je trouve que cela prend vraiment beaucoup de temps.

— Il est vrai que nous avons pris un peu de retard, un petit souci de livraison de pierres en provenance de la carrière plus au Sud. Ne vous en faites pas, nous allons travailler d'arrache-pied pour vous satisfaire et rattraper notre retard.

— Je l'espère, rétorqua Romaric.

Il remarqua un enfant qui se tenait face au lac, sans bouger. Il était à une place bien précise, à côté d'une pierre qui délimitait l'angle de la future clôture.

Il se retourna l'air intrigué vers son interlocuteur :

— Dis-moi que fait cet enfant ici près du lac ?

— C'est mon jeune fils. Je vais vous le présenter.

Nhéos alla le chercher en courant et revint aussitôt.

— Seigneur, je vous présente Pelham, il a toujours l'esprit occupé on ne sait où, c'est une vraie tête de linotte, mais il aime venir ici avec moi lorsqu'il le peut.

Romaric prit la main du garçon et reçut un nombre incalculable d'images dans sa tête. Il se revoyait enfant, apprenant ses sorts avec son mentor. Il voyait Pelham suivre le même chemin. Il ressentait en lui une grande puissance et de grandes possibilités. Son visage s'illumina d'un sourire enjoué en voyant cet enfant avec de telles capacités.

— Alors comme ça tu apprécies cet endroit et ce lac, dit Romaric en souriant.

— Oui monsieur, murmura Pelham, sur un ton très intimidé.

Son père le frappa derrière la tête en le rappelant à l'ordre.

— On dit seigneur Vallerand…

Romaric l'arrêta en lui prenant le poignet sèchement.

— Allons, allons Nhéos, calme-toi, ce n'est pas bien grave. Quel âge a-t-il ce grand garçon ?

— Dix ans, mons… seigneur Vallerand.

— Ah ! ah ! très bien, s'esclaffa Romaric.

Le sorcier voulut absolument s'occuper de Pelham.

— Viens Nhéos, marchons tous les deux vers le bois, il faut que je te parle.

L'architecte suivait Romaric en ayant pris soin de dire à son fils de l'attendre et s'inquiéta de voir son interlocuteur si préoccupé.

— Ai-je fait quelque chose de mal ? seigneur ?

— Non, rassure-toi. Ce que j'ai à te dire doit rester entre nous, ne parles pas trop fort, à part toi peu de gens savent qui je suis réellement.

— Je comprends, chuchota Nhéos, je vous écoute.

— Mon ami, j'ai besoin d'un apprenti en ce moment, que dirais-tu si je m'occupais de ton fils. J'ai vu en lui un potentiel non négligeable. Je pourrais lui apprendre quelques incantations mineures pour le tester, qu'en penses-tu ?

— Je ne savais pas qu'il pouvait être doué pour la magie, mais ce serait un honneur, seigneur, déclara Nhéos en s'inclinant.

Romaric regarda autour de lui avant de prendre Nhéos par le bras.

— Relève-toi imbécile ! Tu veux nous faire remarquer ?

Nhéos se confondit en excuse de toutes sortes avant de suivre Romaric qui revenait auprès de Pelham à qui il s'adressa.

— Mon garçon je vais t'enseigner quelques leçons qui pourrait t'aider à l'avenir, ton père est d'accord.

Pelham sourit et était plutôt heureux que quelqu'un s'intéresse à lui.

La semaine suivante, le jeune garçon commençait son apprentissage, il était extrêmement doué. Il apprenait avec tant de facilités et était tellement à l'aise avec la magie que Romaric en fut fortement surpris.

Les semaines et les mois passèrent, Pelham était toujours en demande de nouvelles connaissances.

Il maîtrisait à la perfection tous les sorts que le sorcier lui avait enseignés. Il les maniait avec une telle aisance que Romaric ne s'aperçût même pas de la puissance de son jeune élève. Il était en admiration devant lui en se souvenant qu'il était pareil à son âge.

Les années s'écoulèrent, Pelham avait vingt ans, et ce fut le moment de son adoubement. Il devint le chevalier d'Orcival grâce à ses différents faits d'armes, à sa dévotion et à sa loyauté envers son roi.

C'est durant cette cérémonie que tout a basculé. Personne ne savait pourquoi, à ce moment précis il était devenu cet être sans cœur, sans pitié, avide de sang.

Le jeune homme studieux, gentil, et loyal n'existait plus.

Il s'en suivit dix longues années d'une cruauté inimaginable. À la seule évocation de son nom, tout le monde tremblait, les villageois étaient terrorisés. La plupart avaient perdu beaucoup de leur famille et ami sous ses terribles sorts. Personne ne put lui résister. Les plus doués des sorciers de l'époque, les plus rusés des mercenaires, les plus cruels barbares, aucun ne put l'arrêter.

Durant cette décennie sanglante, Romaric de Vallerand était prostré chez lui. Il savait qu'il était à l'origine de cette effroyable hécatombe. Sans le savoir, il avait créé un monstre. Pourtant un jour il trouva le courage de réagir, il se devait de détruire sa « créature ». Il alla voir le père Jean Abel pour lui exposer son idée, celui-ci acquiesça. Ce fut lui, Romaric, qui fit prisonnier Pelham dans cette maison.

C'est en l'an mille quatre cent soixante et onze que ce déchaînement de haine cessa définitivement. Le chevalier d'Orcival avait trente ans.

*

Le père Abel avait suivi l'histoire avec grand intérêt.

— Voilà, vous savez tout, lui avoua Cécile. C'était un bon chevalier, très talentueux, jusqu'à cette célébration d'anoblissement. Personne ne sait ce qu'il s'est passé ce jour-là.

— Et le père de Pelham, Nhéos, qu'est-il advenu de lui demanda le curé ?

— Hélas ! personne ne le sait. La seule certitude est qu'il a achevé la construction du manoir, il n'aurait laissé pour rien au monde un autre que lui terminer son œuvre. Est-ce que vous comprenez mieux maintenant mon père ?

— Oui, lui répondit le curé, mais j'ai bien peur qu'il y ait des répercussions terribles. Il nous faudra être très vigilants.

— C'est pour cela qu'il fallait que je vous en parle. Il se fait tard, je dois vous laisser.

Cécile se leva, rangea sa chaise en saluant son hôte et prit congé. La nuit commençait à tomber, elle se dépêcha de rentrer. Elle était soulagée et en même temps rassurée de lui avoir expliqué la vérité sur cette histoire assez incroyable.

Le père Abel était plutôt heureux d'avoir eu cette conversation. Il en savait dorénavant un peu plus sur cette histoire et savait désormais à quoi s'attendre.

Il se doutait que les temps à venir seraient durs sans savoir réellement ce qui allait se passer. Beaucoup d'images lui revenaient en tête, les spectres allant vers la maison des Delson, les diverses attaques dont il fut la cible, les changements d'humeur de Marie, la disparition de John. Tout prenait un sens, tout était plus clair.

Il ne put s'empêcher de penser à cet enfant innocent à qui la vie ne fera pas de cadeaux. Il était triste et amer en se demandant pourquoi cette injustice. Surtout, il aurait aimé savoir quelles circonstances on fait de Pelham, cet être insensible et avide de violence.

Il se rendit à l'église et s'agenouilla devant la croix en priant le Christ de venir en aide à Lucas.

Chapitre 14

De retour au manoir, Cécile s'empressa de monter à l'étage pour parler à Romaric. Il restait souvent dans une grande pièce qui lui servait de laboratoire à l'époque. Elle marcha le long d'un couloir immense. De magnifiques tapisseries du quinzième siècle y étaient suspendues, ainsi que des armoiries représentant la famille Vallerand. Elle entra dans la pièce et le trouva en admiration devant un grand tableau qui ornait le mur en face de la porte. Il lui parla sans se retourner.

— Tu vois Cécile, ce tableau est aussi une partie de notre histoire. Il raconte ma fin, elle fut silencieuse et discrète comme pour ne pas salir notre nom, alors que j'étais reconnu partout. J'étais le grand et bon sorcier qui…

Il se tut un instant puis reprit.

— Tu désirais me voir ?

— Je ne voulais pas t'interrompre dans tes pensées, mais oui en effet.

— Ne t'inquiète pas, mes pensées peuvent attendre, que puis-je faire pour toi.

— J'ai raconté ton histoire au père Abel, il comprend mieux à présent tout ce qu'il lui est arrivé depuis quelque temps. Et il pourra être un allié précieux.

— Tu as bien agi.

— J'aurais aimé aussi t'entretenir au sujet de Lucas, j'ai remarqué quelque chose d'étrange sur lui.

Romaric se retourna précipitamment.

— De quoi s'agit-il ?

— Une petite tache à l'intérieur de sa cuisse, on ne distingue pas grand-chose à l'œil nu. En y regardant de plus près, deux petites marques brunâtres forment un genre de dessin.

— Peux-tu me décrire ce que tu as vu ?

— C'est difficile, c'est très petit, on dirait deux traits entremêlés surmontés d'un objet.

Romaric cessa de bouger, il tendit le bras en pointant son doigt vers un mur de la pièce. Un trait de lumière en sortit et il commença à dessiner un symbole. Dès qu'il eut terminé, il demanda à Cécile :

— Y aurait-il une ressemblance avec ce que je te montre ?

Elle réfléchit un court instant.

— Oui, cela se pourrait, c'est très proche. Qu'est-ce que c'est ?

— Le sceau de la famille Orcival. Deux serpents entremêlés surmontés d'un cône.

— Mon Dieu marmonna Cécile en s'asseyant, c'est plus grave que je ne le pensais.

— Oui, ses intentions ont l'air bien plus belliqueuses que le simple fait de trouver le repos éternel. Il n'a pas fait que donner ses pouvoirs, il EST une partie de Lucas.

*

La Citadelle de Clamor était dirigée par Alastor, un démon sévère et sans aucune pitié. Il avait eu vent du geste de Pelham, les Veilleurs des Abîmes le lui avaient rapporté. Il n'en décoléra pas.

— Comment cet être insignifiant ose profaner ces tombes ? clama-t-il d'une voix caverneuse. Que compte-t-il faire, me défier ?

— Je ne crois pas maître, assura un Veilleur, vous êtes bien trop puissant.

— Alors que veut-il ? Pourquoi condamner ses propres hommes à une errance indéfinie ? Il projette quelque chose. Surveillez attentivement le dernier passage de cette région et tenez-moi au courant.

— Bien maître, il sera fait selon vos désirs.

Le Veilleur se rendit dans la pièce où les cercueils étaient installés. Il ne restait que celui de Pelham, entouré de douze petits tas de gravats. Il souleva le couvercle et regarda à travers. Il vit le Chevalier de l'autre côté regarder également dans le cercueil

Ils se fixèrent mutuellement et la lumière bleue du Veilleur fit son œuvre. Pelham était en train de revoir sa vie, année après année en s'arrêtant sur les instants les plus sombres qui furent nombreux. Puis arriva le moment de revivre sa fin. Pelham poussa des cris ignobles de souffrance. Cela dura plusieurs minutes. Il referma le couvercle et se retrouva à genoux au sol.

— Vous pouvez me montrer ces images autant de fois que vous le voudrez, c'est ma vie et je n'ai rien à regretter. Si c'était à refaire, je recommencerais exactement de la même façon et peut-être pire. Ma soif de sang n'a pas été contentée. J'admets avoir un regret, celui d'être mort trop tôt et de ne pas avoir pu tuer tous ceux qui le méritaient. Mais soyez patients, ce n'est que partie remise.

Sa douleur laissa place à un rire sarcastique.

Le père Abel était encore en train de penser à l'histoire que lui avait racontée Cécile. Il se demandait comment il pourrait aider cette famille et il comprit aussi pourquoi Lucas ne voulait pas venir dans ses bras. Il pensait que cela allait être difficile pour le baptême.

À cet instant, il entendit un cri déchirant venir de l'extérieur. Il ouvrit la porte, s'avança de quelques pas et se rendit compte que cette lamentation venait du cimetière. Il savait désormais qui était en dessous de cette tombe et se douta que ces cris venaient de Pelham.

— J'espère que tu souffres autant que tu as fait souffrir, méprisable chevalier, lâcha-t-il en fixant le caveau central.

Il rentra en refermant la porte à clefs derrière lui. Les plaintes durèrent encore quelques minutes puis cessèrent d'un coup.

Le père s'assit à la table de sa cuisine en savourant le silence et une tasse de café par la même occasion.

Il décida ensuite d'aller s'offrir une petite balade nocturne à la lueur de la pleine lune. Il aimait se promener dans les ruelles de ce village qui l'avait vu naître il y a un demi-siècle.

Il évita soigneusement de passer dans la rue des noisetiers. Il savait désormais pourquoi il lui fallait rester à l'écart du numéro six. Il emprunta donc une rue parallèle et se retrouva dans un endroit très peu fréquenté à cette heure-ci. Il s'agissait d'une petite place servant de jardin public avec quelques bancs autour et une fontaine en son milieu. Une statue trônait au centre de ces jets d'eau. Sur la plaque descriptive à côté de celle-ci, on pouvait lire ces mots.

— À notre bon Roi Héribert de Floxel qui naquit et mourut en ces terres.

L'épitaphe était suivie de deux dates.

— Mille quatre cent quinze mille quatre cent soixante et un.

Il recula un instant en réfléchissant. Il se rappelait ce que Cécile de Vallerand lui avait raconté à propos de Pelham, surtout au sujet de son adoubement. Il le fut à vingt ans, donc en Mille quatre cent soixante et un, date à laquelle le roi était mort. Il se demandait s'il y avait un lien en scrutant méticuleusement la statue. Il se remémorait ses cours d'histoire et se souvenait que ce roi était très apprécié durant son règne, il était proche de son peuple et très à l'écoute.

Par contre, aucun récit ne relatait sa fin avec précision. Il fut retrouvé dans ses appartements, décapité. Personne ne sait ce qui s'est réellement passé, le mystère reste entier autour de sa mort.

Ce qui est étrange, pensa le père Abel, c'est que tous ses gardes avaient subi le même sort. Cela ne pouvait être l'œuvre que d'un grand sorcier ou d'une personne qui maîtrisait parfaitement certains sorts. Il soupçonnait bien évidemment le chevalier d'Orcival, mais rien ne le prouvait.

Il se promenait les mains dans les poches autour du parc. Il s'assit un instant sur un banc en regardant le ciel étoilé. La nuit était calme, seuls quelques hululements de chouette au loin se mêlaient au silence.

Il était pensif, son esprit vagabondait ailleurs et nulle part. Il appréciait ce moment, loin de toutes ces histoires qui le tracassaient et pour lesquelles il n'avait aucune solution.

Une légère brise fraîche le fit sortir de ses pensées, il se releva pour retourner chez lui. Il sortit du parc et s'arrêta un instant au milieu du chemin. Il se retourna et vit la route qui menait au manoir des Vallerand. Elle s'enfonçait dans la noirceur de la forêt, il était attiré par ce lieu.

Notamment le fameux lac dont Cécile lui avait parlé dans son récit et à côté duquel Pelham se trouvait étant petit. Il hésita à s'y aventurer de nuit, mais la curiosité l'emporta et il se dit qu'à cette heure tardive il serait plus tranquille.

Il commença à avancer lentement et franchit l'orée du bois. Les arbres étaient encore clairsemés à cette époque de l'année. La pleine lune lui servait de guide à travers ces enchevêtrements d'ombres et de formes plus ou moins douteuses. Son esprit lui fit imaginer des silhouettes, des bruits inconnus. La moindre brindille sur laquelle il posait le pied le faisait sursauter.

Il progressait en s'arrêtant régulièrement pour identifier chaque nouveau son. Le vent qui était devenu un peu plus fort donnait l'impression que les arbres dansaient.

Les ombres projetées au sol prenaient l'apparence parfois d'immondes créatures sorties d'on ne sait quel bestiaire. Il se rassura en se parlant à voix basse.

— Mon pauvre Abel, cesse donc de t'imaginer toutes sortes de choses, ce ne sont que les bruits de la nature, rien d'autre.

Sa progression se fit d'un pas plus assuré, jusqu'au moment où il entendit un craquement plus important que les autres venir de sa droite. Il s'arrêta aussitôt.

Il regarda aux environs, mais ne vit rien, il reprit sa route. Le chemin tourna légèrement. Il s'immobilisa de nouveau. Ce coup-ci le bruit semblait plus proche. Il se retourna et vit au loin deux petites lueurs qui semblaient se rapprocher assez rapidement. Il comprit tout de suite ce que c'était et se jeta rapidement derrière un arbre. Il avait vu deux yeux brillants, éclairés par la lune. Un cerf majestueux courut vers lui et le frôla à vive allure en bramant et en s'éloignant dans les profondeurs de la forêt. Il se releva en frottant ses vêtements pleins de terre, en souriant et murmurant.

— Mon Dieu ! quelle frousse ! Je m'en souviendrai.

Il reprit sa route et arriva devant l'immense clôture du manoir.

Il aperçut la bâtisse éclairée au loin à travers le portail, mais personne ne pouvait le voir tant la distance de terrain était grande.

Il longea la délimitation vers la gauche pour se rapprocher du lac noyé dans la pénombre et se mit en tête de marcher le long de ces eaux plutôt sinistres.

Il avait parcouru une bonne distance lorsqu'il se retourna pour regarder en direction du manoir. Il crut apercevoir une forme juste à l'angle de la clôture. Il décida de revenir sur ses pas en ne quittant pas des yeux ce phénomène.

Quelques mètres le séparaient encore de ce qu'il voyait et qui ressemblait de plus en plus à une silhouette recourbée s'appuyant sur une canne. Il hésita un instant à avancer davantage, la peur commençait à l'envahir. Il fit quelques pas supplémentaires et entendit des sortes de grommellements et de chuchotements assez difficiles à comprendre.

Lorsqu'il fut presque à son contact, il distingua clairement le profil d'un vieillard pris dans ses pensées. Il ne put dire aucun mot au moment où il s'aperçut que ce vieil homme n'était pas fait de chair et de sang, c'était plutôt une apparition fantomatique.

Il le regarda sans bouger. Son cœur battait si fort qu'il eut l'impression qu'il allait sortir de sa poitrine.

Cette ombre se redressa légèrement et détourna son visage vers le père Abel. Celui-ci fut surpris de voir les traits d'un véritable homme sur ce faciès.

Il s'adressa au curé avec une voix venue d'outre-tombe.

— C'est toi le dénommé Abel ?

Le père mit un long moment avant de retrouver sa voix.

— Oui… que… qui êtes-vous ?

— Rassure-toi. Je suis le sorcier Romaric de Vallerand.

— Grand Dieu ! s'exclama-t-il. Comment est-ce possible ?

— Que je sois ici ? mais je ne suis pas vraiment dans ce monde. Je suis partout et nulle part. Je suis mort certes, mais encore vivant d'une certaine manière. Je suis… Du moins, j'étais un grand sorcier et cela m'a laissé le choix de rejoindre l'éternité ou rester ici auprès de ma descendance pour veiller sur elle et l'aider du mieux que je pourrai. J'ai bien connu ton ancêtre Jean, quel brave homme ! La plus grande mission de sa vie fut de débarrasser la région de ce maudit Pelham et il a réussi là ou beaucoup d'autres avaient échoué.

— Êtes-vous sûr qu'il a réussi ? Le chevalier est toujours ici en quelque sorte. D'après ce que j'ai compris, il va nous donner encore des difficultés.

— Tu as raison, Abel. La seule erreur de ton ancêtre fut d'avoir lancé cette malédiction sur lui. Il a été trop rigide en lui infligeant une peine exemplaire. Sans celle-ci, il ne serait pas allé à la Citadelle de Clamor pour payer sa dette. Il aurait été définitivement mort et oublié de tous.

— La Citadelle de Clamor ! releva le père Abel.

— Oui, c'est un endroit entre deux mondes, entre la vie et la mort. C'est là que sont envoyées les âmes maudites. Elles y restent le temps d'accomplir leurs tâches pour enfin trouver le repos éternel. Mais au fait, pourquoi êtes-vous venu ici cette nuit ?

Le père Abel devint hésitant.

— Eh bien… Pour tout vous dire, c'est la curiosité. Mademoiselle de Vallerand m'a conté l'histoire de votre rencontre avec le chevalier et j'ai été intrigué par ce lac. Il fait déjà l'objet de beaucoup de rumeurs et d'histoires étranges dans la région. Je me suis demandé pourquoi cet enfant se trouvait précisément ici le jour de votre rencontre.

— Je me suis souvent posé la question et je me la pose encore. J'ai fini par me dire que cela ne devait être qu'un pur hasard. Mais son attitude face à ce lac était vraiment déconcertante, comme s'il puisait quelque chose dans ces eaux sombres. Donc voyez-vous mon ami, je suis comme vous, j'essaie de trouver des réponses.

— Vous qui l'avez côtoyé et éduqué, pensez-vous que cet étang ait un rapport avec son aisance à apprendre les différents sorts de magie ?

Romaric réfléchit un moment.

— Je ne sais pas vraiment. Il était différent de tous mes autres élèves, c'est ce qui m'a attiré en lui, mais quand je suis ici je ressens une force très spéciale. Il y a assurément quelque chose au fond de ce lac ou aux alentours. Je cherche depuis déjà longtemps sans résultat.

Les deux hommes restèrent un instant silencieux. Le père Abel décida de prendre congé de son hôte si particulier et repartit en direction de la forêt.

Il reprit le même chemin pour se rendre au village. Avant de rentrer dans le bois il se retourna et s'aperçut que le sorcier avait disparu. Il progressa en direction de son église, passa devant le parc et se retrouva rapidement à l'entrée de son presbytère. Il repensa à toute cette histoire en se préparant pour sa prière qu'il dédiait régulièrement à Lucas et ses parents.

Chapitre 15

Les Delson se levèrent de bonne heure en ce matin d'avril. John se préparait pour sa dernière journée de travail de la semaine et Mary pour s'occuper de Lucas qui venait de se réveiller. Le week-end arrivait et celui-ci avait quelque chose de spécial. C'était la date du baptême choisi par les Delson et les Béraud.

John embrassa sa femme et son fils avant de prendre le chemin de la coutellerie.

Marie prenait un peu de temps pour jouer avec Lucas après l'avoir apprêté pour la journée.

Ils étaient tous les deux assis par terre dans le salon, entouré d'une multitude de jouets. Marie lui faisait rouler des petites voitures sur le ventre ce qui fit joyeusement rire Lucas. Mais ce grand moment de complicité fut interrompu par la sonnerie de la porte d'entrée. Marie alla ouvrir et fit entrer Charline qui était venue avec Julien pour passer un moment et surtout converser des derniers détails du baptême. Elle installa son fils à côté de Lucas et rejoignit Marie à la table de la salle à manger pour prendre un café. Elles discutèrent longuement avant que leur attention ne soit détournée par l'attitude plutôt étrange de Lucas. Il fixait une fois de plus un mur en tendant la main vers celui-ci.

— Ce n'est pas la première fois qu'il fait ce geste, expliqua Marie à son amie.

— Et cela te préoccupe ? demanda Charline.

— Non, mais je trouve ça un peu bizarre, je ne comprends pas vraiment ce qu'il fait.

— Tu sais bien que les enfants ont leur petit monde à eux. Ne t'en fais pas.

— Oui, tu as sans doute raison, mais je m'inquiète vite, car il a eu une arrivée plutôt difficile dans ce monde.

— Je comprends tes craintes, sachant ce que tu as traversé tout le monde en ferait de même.

Marie se leva pour prendre Lucas dans ses bras. Il la regarda en souriant et voulut redescendre aussitôt pour continuer à jouer avec Julien. Elle le posa puis reprit la conversation avec son invitée.

Le temps passa vite, mais elles purent mettre au point les derniers préparatifs, ce qui rassurait ces deux mamans très attentives à cette cérémonie si attendue.

Charline dut prendre congé de son hôte. Marie se restaura rapidement avant l'arrivée de mademoiselle Chevin qui venait garder Lucas. Les deux femmes s'appréciaient de plus en plus et leurs rapports étaient devenus plus amicaux que professionnels.

— Bonjour, Cécile, dit Marie, je vous laisse avec Lucas. Je viens de le coucher. Il devrait dormir encore un moment. Je suis en retard, je dois partir travailler, à bientôt.

— Bonjour, Marie, ne vous en faites pas, allez-y, je m'en occupe.

Cécile s'installa dans la maison silencieuse. Elle se servit une tasse de café et commença à feuilleter un magazine pour passer le temps.

Lucas se réveilla, elle alla le chercher et l'installa dans son parc après l'avoir changé.

Elle remarqua un vêtement blanc sur le dossier d'une chaise. Elle le déplia et reconnut une magnifique robe de baptême.

À ce moment, même Lucas se mit à pleurer à plein poumon, elle reposa la robe et Lucas se tut aussitôt. Elle comprit rapidement ce qu'il se passait et lui parla.

— Évidemment, tu n'aimes pas trop tout ce qui s'apparente à la religion, du moins la partie qui n'est pas toi. Ne t'en fais pas Lucas, lui murmura-t-elle en s'agenouillant devant lui, tout se passera bien, tu n'es pas seul.

Il se mit à sourire comme s'il comprenait ce qu'il venait d'entendre. Cécile l'observa quelques instants, les yeux remplis de tristesse.

*

Le chevalier d'Orcival s'était remis de son échange avec le Veilleur des Abîmes. Il était un peu déconcerté par l'attitude de la nourrice. Il ressentait tout ce que pouvait éprouver Lucas, notamment ce sentiment d'apaisement au contact de cette femme le surprenait un peu.

Il se parla sur un ton agacé.

— Je ne connais pas cette femme, d'où vient-elle ? Jasper, rejoins-moi.

Son lieutenant ne tarda pas à arriver, il savait qu'il ne fallait pas le faire attendre.

— Dis-moi qui est réellement cette femme.

— Je ne sais pas grand-chose sur elle, seulement qu'elle s'appelle Cécile Chevin. Elle ne parle pas de sa vie, elle est très discrète, déclara Jasper.

— Et où habite-t-elle ?

— En dehors du village, mais je ne sais pas exactement où.

— Bien. Lorsqu'elle partira ce soir, tu la suivras et tu me rendras des comptes.

— Comme tu veux Pelham.

Jasper se retira en ayant toujours cette amertume envers son ancien ami. Ce qu'il lui avait fait, il ne l'avait pas oublié. Il retourna dans la maison des Delson et vit Lucas le regarder régulièrement. Cette situation le mettait mal à l'aise, il reconnaissait par moment le regard noir de Pelham. Il revoyait cette puissance parfois incontrôlable dans ces yeux. Il était même un peu triste pour cet enfant qui n'avait rien demandé et qui surtout n'avait pas son destin entre ses mains.

Lorsque Cécile s'en alla, Jasper exécuta les ordres du chevalier et se mit à la suivre. Il volait bien au-dessus d'elle pour ne pas se faire repérer. Il se dit que si d'aventure elle levait la tête, elle verrait seulement une sorte de nuage. Elle entra dans la forêt et en ressortit de l'autre côté pour se retrouver devant le manoir. Elle referma la grille derrière elle et se dirigea vers la porte d'entrée.

Jasper, quant à lui, se posa devant la plaque pour en lire l'inscription. Il fut totalement abasourdi en voyant le nom et retourna voir aussitôt Pelham.

— Je l'ai suivie comme tu me l'avais demandé.

— Et alors qu'as-tu appris ?

— Elle est entrée dans le grand manoir situé derrière la forêt.

Le chevalier le coupa.

— Il n'y a qu'une seule bâtisse par là-bas, c'est celle des Vallerand.

— C'est bien celle-là, attesta Jasper. C'est ce que j'ai lu sur l'écriteau.

Pelham maugréa.

— Décidément, cette famille me poursuivra jusqu'à la fin des temps. Retourne chez Lucas. De toute façon, elle ne peut rien contre nous, je ne sens aucun pouvoir en elle. Toi tu l'as côtoyée aujourd'hui, as-tu remarqué quelque chose ?

— Non, rien. C'est une simple mortelle. Inutile de t'inquiéter pour elle.

Sur ces paroles, il retourna aussitôt chez les Delson.

Pelham restait tout de même sceptique. Une fois de plus, un Vallerand se retrouvait sur son chemin.

*

Romaric de Vallerand avait remarqué que Cécile était suivie ce soir. Il avait vu le spectre se mettre devant le portail pour en lire le nom. Il se rendit dans le grand salon où était sa fille ; c'est comme cela qu'il aimait l'appeler. Lui qui n'avait jamais eu d'enfants il avait reporté tout son amour sur elle, lorsqu'elle était venue au monde dans les années quarante. Elle n'était pas sa descendante directe, mais plutôt du côté du frère de Romaric qui lui, avait eu une grande famille. C'est grâce à elle que le nom des Vallerand ne s'était pas éteint. Il avait donc une tendresse particulière pour cette jeune femme, c'était la dernière à porter ce prestigieux patronyme. Il la retrouva comme souvent plongée dans un livre en buvant un verre de liqueur, son péché mignon.

Romaric lui adressa la parole.

— Comment vas-tu, Cécile ? Tout s'est bien passé aujourd'hui ?

— Oui très bien, Lucas est vraiment adorable, dommage qu'une partie de lui soit ténébreuse.

140

— À ce sujet, tu as été suivie ce soir par un des sbires de Pelham, je voulais t'avertir. Ils doivent savoir désormais qui tu es réellement.

Cécile détourna ses yeux du livre et regarda Romaric avec un air inquiet.

— Tu crois que je dois continuer ?

— Oui, tu ne risques rien. Tu n'es pas un danger pour eux, ils doivent savoir que tu n'as aucun pouvoir. Continue comme d'habitude et ne montre aucun signe de peur, ils le remarqueraient vite.

— J'ai confiance en toi, le rassura-t-elle, et je ne me sens pas capable d'abandonner Lucas dans cette histoire. Il aura besoin de nous.

— Je le sais bien. Je te laisse te détendre, j'ai quelques affaires à régler dans mon laboratoire.

Il disparut presque aussitôt sa phrase terminée pour se rendre à l'étage supérieur.

Il venait souvent dans cette pièce ces derniers temps. Il était affairé à polir une petite pierre tout en récitant quelques incantations. Il s'agissait d'un œil céleste qu'il monta sur une chaînette en argent un peu spécial qui avait appartenu à sa grand-mère. Elle fut elle-même une grande sorcière à son époque. Il rangea le pendentif précieusement dans une boîte feutrée qu'il mit à l'abri des regards, sur une étagère dans un coin de son laboratoire.

Il se dit qu'il en parlerait bientôt à Cécile, mais le moment n'était pas encore venu. Il lui fallait se concentrer sur le baptême à venir qui était très important.

Cécile était un peu sonnée par la nouvelle que lui avait apprise Romaric. Elle savait qu'elle était observée chez les Delson.

Elle posa son livre et se dirigea vers la fenêtre pour admirer le splendide ciel étoilé. Ses yeux se posèrent vers le lac où elle crut voir une sorte de lumière.

Elle fronça les sourcils pour mieux voir, et s'aperçut qu'il y avait réellement un rayon lumineux, très faible, sortir des eaux obscures du lac.

Elle s'empressa de se rendre vers la porte d'entrée. Elle l'ouvrit et une fois dehors elle constata que ce phénomène lumineux était toujours là. Elle approcha doucement de la clôture et regarda ce trait de lumière bleue fendre la surface de l'eau et se perdre dans les cieux. Un léger sifflement se fit entendre au même instant. Elle distingua un flux se déplacer vers le haut dans cet étrange éclair. Un instant, elle crut même voir des visages torturés et déformés circuler dans ce rayon. Elle fit demi-tour en courant vers la porte du manoir et en criant.

— Romaric, Romaric vient vite.

Il arriva entre Cécile et la porte.

— Que se passe-t-il, qu'as-tu ?

Elle se retourna en pointant le lac du doigt.

— Regarde là-bas…

Elle se tut net. Il n'y avait plus rien, plus aucune lueur, ni dans l'eau ni dans le ciel. Elle resta sans voix, le bras toujours tendu.

— Mais je ne comprends pas, marmonna-t-elle.

— Raconte-moi. Que s'est-il passé ? demanda Romaric.

Elle répondit un peu confuse.

— Une lumière bleue, des visages, de terrifiants visages, et ce sifflement… plus rien.

— Essaie de te calmer. Viens, retournons à l'intérieur, tu vas me raconter.

Ils rentrèrent dans le salon et Romaric demanda à Cécile de s'asseoir et de reprendre ses esprits.

— Maintenant, dis-moi ce que tu as vu.

Cécile respira profondément avant de parler plus calmement.

— Je regardais par la fenêtre lorsque j'ai vu une sorte de lumière sortir du lac. Je suis allée voir de plus près et j'ai vu des visages, j'ai entendu un sifflement. Quand tu es venu, tout a disparu.

Romaric resta interdit. Il réfléchit un long moment avant de s'exprimer.

— Je vois, je saisis et ce que tu me dis me contrarie fortement. Tu es bien sûr que c'était un rayon bleu ?

— Oui tout à fait sûr, j'étais à quelques mètres de lui, je ne peux pas me tromper.

— Je voulais seulement que tu sois certaine de ce que tu as vu, car c'est important.

— Je t'assure que c'est bien ça, insista-t-elle.

— Je te crois, ne t'en fais pas. Sans le savoir, tu as sûrement résolu le problème de la présence de Pelham près de ce lac quand il était jeune. Pourquoi n'y ai-je pas pensé plus tôt ?

— C'était quoi ? implora-t-elle avec empressement.

— Je n'en suis pas certain, mais ce sont peut-être des âmes perdues. Selon les croyances, on dit qu'elles se sont échappées de la Citadelle de Clamor et qu'elles trouvent refuge dans un milieu aquatique, un peu comme un fœtus dans le ventre de sa mère. Elles y restent jusqu'à ce qu'une personne soit apte à les recevoir en elle, et devenir ainsi un être démoniaque. C'est ce qui a dû arriver à Pelham lorsque je l'ai vu au bord de ce lac pendant la construction du Manoir.

Cécile semblait décontenancée.

— Je croyais que personne ne pouvait s'échapper de la Citadelle, il y a les Veilleurs des Abîmes pour les chasser.

— En effet rétorqua Romaric. Tu sais, il y en a toujours quelques-uns de plus malins que d'autres. Mais rassure-toi. Ce que tu as vu correspond sûrement à une ou deux âmes, guère plus. Ce qui me préoccupe c'est de savoir où elles sont allées.

— Tu penses à lui ?

— J'en ai bien peur, attesta le sorcier sur un ton grave, il va essayer de mettre toutes les chances de son côté. Je suppose que dans la Citadelle tout le monde est au courant de ses projets. Il réunit un maximum de force pour pouvoir contrôler Lucas plus aisément, pour lui faire prendre le mauvais chemin.

— Que pouvons-nous faire ? demanda Cécile.

Romaric de Vallerand fit le tour de la pièce pour se retrouver devant elle. Il effleura son visage par un léger souffle, ce qui fit bouger sa chevelure blonde comme si une douce brise se levait.

— On ne peut absolument rien faire, ma Cécile, pour le moment du moins. Le chevalier se prépare. Lucas est encore trop jeune, nous devons simplement être prêts à l'entourer d'amour pour qu'il suive son cœur et qu'il trouve la voie de la sérénité.

Chapitre 16

En ce samedi soir d'avril, veille du baptême de Lucas et Julien, le père Abel s'affairait dans l'église pour tout mettre en ordre. Il remit les chaises et les agenouilloirs en place. Il passa de la cire sur les bancs, les croix en bois et les lutrins. Il s'assura que les bénitiers étaient tous remplis et que les cierges soient à la disposition de chacun désirant en allumer un.

Il prit un peu de recul pour admirer son travail. Il n'était pas mécontent de lui. Il referma les lourdes portes d'entrée, car le vent frais commençait à s'engouffrer dans l'église. Les températures de ce mois d'avril n'étaient pas encore très agréables. Il repartait en direction du chœur lorsqu'il entendit une porte se rouvrir derrière lui. Il se retourna et aperçut John qui venait le saluer.

— Bonsoir, mon père. Tout va bien ?

— Bonsoir, John, oui tout sera bientôt prêt pour demain. Qu'est-ce qui vous amène ici ?

— Rien de spécial, Marie m'a demandé de passer pour voir si vous aviez besoin d'aide.

— C'est très gentil et remerciez votre épouse pour sa sollicitude, mais ça ira, j'ai presque terminé.

Rentrez donc chez vous au chaud, nous nous verrons demain.

— Eh bien ! à demain alors.

John repartit et le Père referma la porte derrière lui.

Il continua son inspection et alla dans son presbytère pour y classer les différents chants liturgiques et les prières qui seront dites pendant la cérémonie et bien sûr le registre afin de faire signer les parrains et marraines de Lucas et Julien.

Il s'assura aussi que sa chasuble et son aube furent parfaitement repassées. Il ne voulait que rien ne vienne gâcher une si belle fête. Il posa aussi délicatement son étole à proximité de ses affaires pour le lendemain.

*

Cécile se leva de bonne heure. Le grand jour était enfin arrivé. Elle devait rejoindre Marie et John pour les accompagner à l'église. Elle n'était pas seulement la nourrice de Lucas, elle était devenue aussi une véritable amie de la famille.

Pendant qu'elle se préparait, Romaric réapparu pour lui faire ses dernières recommandations.

— Que tu es jolie Cécile ! Tu ressembles incroyablement à ta mère. Elle serait tellement heureuse de te voir ainsi apprêtée.

— Oui, Lucas va être baptisé aujourd'hui, je veux être belle pour cette occasion si particulière.

— À ce sujet, je voudrais que tu lui remettes quelque chose de spécial.

Il lui tendit un collier en argent orné d'une petite pierre noire en obsidienne.

— C'est pour Lucas ? demanda Cécile.

— Oui, j'aimerais que tu lui passes autour du cou avant la cérémonie, c'est un œil céleste. Cette pierre ne peut que le protéger, on ne sait jamais.

— Si c'est pour son bien alors je le ferai avec plaisir.

Elle prit congé de Romaric et se rendit d'un pas léger chez les Delson. Elle était très enjouée à l'idée de faire une grande fête avec ces deux baptêmes. Cela arrivait plutôt rarement dans ce petit village et l'occasion de rencontrer toute la communauté lui faisait réellement plaisir elle qui était très souvent seule dans ce manoir si isolé du village.

Elle arriva chez ses amis et s'empressa d'embrasser Lucas. Elle le vit dans sa robe de baptême pour la première fois et elle le trouvait magnifique, mais grognon.

— Alors ! mon petit Lucas ; tu n'es pas content ? chuchota-t-elle. Je sais qu'il est là, mais ne t'en fais pas. Tiens, voilà un petit cadeau de Romaric.

Elle lui passa le collier autour du cou et Lucas s'apaisa rapidement. Marie avait remarqué le bijou et demanda à Cécile de quoi il s'agissait.

Elle lui répondit vaguement.

— C'est une chaînette avec une petite pierre qui est présente dans ma famille depuis fort longtemps et je serais ravie que vous l'acceptiez pour Lucas.

Marie était extrêmement touchée par ce geste et elle prit Cécile dans ses bras pour la remercier.

John arriva sur ces entrefaites.

— Eh bien ! que nous valent toutes ces effusions de bonheur ?

— C'est Cécile qui a offert un magnifique cadeau à Lucas, regarde.

Marie lui montra le collier sur le cou de l'enfant.

C'est très joli, Cécile, affirma John, en lui déposant un baiser sur la joue, vous êtes vraiment une nourrice remarquable.

Cécile souriait en rougissant un peu, très gênée par cette marque d'affection et tant de compliments.

La famille Béraud venait d'arriver avec Julien chez Marie et John. Ils avaient décidé de faire le chemin ensemble jusqu'à l'église. Lucas et Julien étaient très fiers au cou de leurs mamans dans leurs petites robes de baptême en dentelle blanche. Toute la communauté les félicitait et les embrassait. Le village n'avait pas connu une telle excitation depuis bien longtemps. Tout le monde était là, enjoué. Ils allaient célébrer une magnifique cérémonie et faire la fête. Un somptueux repas était prévu après les célébrations dans la grande salle des fêtes située à côté de la place du marché.

Celle-ci avait été décorée d'une multitude de ballons et de rubans bleus et blancs par Marie, Charline, et quelques voisines bienveillantes. Deux grandes guirlandes aux prénoms des enfants étaient accrochées de chaque côté aux murs. Au milieu, une grande table en fer à cheval était installée pour recevoir tous les convives à midi. Des couverts et de magnifiques petits ballotins de dragées étaient posés sur de grandes nappes brodées appartenant à la plus ancienne habitante du village. Cette femme n'avait manqué aucune fête, aucun mariage, ni aucun baptême depuis ces soixante-dix dernières années. Madame Louise Lougin, surnommée affectueusement mamie Loulou par tout le village, était la doyenne de celui-ci. Elle avait enterré son mari il y a une dizaine d'années. Il avait été emporté par une longue maladie et depuis ce jour elle participait activement aux différentes animations de son village natal. Son passe-temps pour la broderie en avait fait une artisane renommée dans la région.

Ses napperons étaient très demandés et la plupart des gens voulaient les lui acheter. Mais la vieille dame au cœur si généreux et à la gentillesse peu commune refusait leur argent. Elle disait qu'elle ne voulait pas faire payer le fruit de sa passion qu'elle accomplissait avec le don que lui avait donné le Bon Dieu. Rien que de voir le bonheur dans le regard des gens lui suffisait. Elle était d'ailleurs ravie d'offrir ces nappes sur lesquelles elle travaillait depuis de longs mois pour ces baptêmes. Elle adorait Lucas et Julien et se sentait la grand-mère de tout le monde et, comme elle le disait si bien, elle vivait constamment en hiver depuis la perte de son mari. Pour elle, le soleil ne brillait plus, les oiseaux ne chantaient plus, sa vie était entre parenthèses. Son plus grand désir était de retrouver celui qu'elle avait aimé durant ce demi-siècle. En faisant le bonheur de tous, le moment venu, elle partirait joyeuse, le cœur léger pour rejoindre son amour éternel.

*

Le chevalier d'Orcival quant à lui était très attentif depuis quelque temps. Le jour qu'il attendait venait enfin d'arriver, ce moment marquerait le début de son renouveau. Il fallait un prénom officiellement reconnu par l'église pour désigner celui qui l'aiderait à rompre sa malédiction, ce serait chose faite dans peu de temps. Il s'amusait en voyant tout le monde s'affairer autour de Lucas.

— Allez-y, mes amis, fêtez l'événement comme il se doit, baptisez-le. Et après amusez-vous, riez, dansez, chantez, profitez-en, faites surtout de ce jour un moment unique. Vous vous en souviendrez éternellement, je vais vous aider pour cela. Ce jour sera celui de Lucas, mais surtout le mien... Non, en fait ce sera notre jour, cette date restera dans vos mémoires jusqu'à votre mort.

*

Le père Abel revêtait ses habits de cérémonie avec une joie non dissimulée. Il était heureux en pensant à la belle journée qui se dessinait devant lui. Il fit un bref tour d'inspection pour vérifier que tout était bien en ordre pour ce grand jour. Après quelques minutes et plusieurs allers-retours dans les différents endroits de l'église, il était plutôt satisfait de lui et fier de pouvoir montrer un monument en si parfait état à ses ouailles. Il décida donc d'aller ouvrir les deux lourdes portes d'entrée, avant l'arrivée des invités conviés à ce double baptême.

Il força plus que d'habitude pour essayer de faire bouger ces portes, mais rien n'y faisait. Il s'arc-bouta un peu plus, mais sans plus de succès. Il se tenait debout devant les deux battants l'air perplexe. Il essaya à nouveau, mais toujours rien. Il commença à s'inquiéter sérieusement lorsque soudain, il se mit à rire.

— Mon pauvre Abel, tu vieillis. Comment veux-tu ouvrir une porte fermée à clef ?

Il partit à la sacristie où le trousseau était posé sur une table bien en évidence à côté de ses différents documents préparés pour la cérémonie.

Il retourna à l'entrée, donna un tour de clef et put enfin ouvrir les portes sans aucun problème.

Il regarda dehors et vit que personne n'était encore arrivé, il rentra en se frottant les mains à cause du léger vent frais qui venait de se lever. Il alla se préparer un café pour se réchauffer avant le début de la bénédiction.

*

Le joyeux cortège se dirigeait lentement en direction de l'église. Tout le monde parlait, riait, plaisantait, l'humeur était festive.

Ils s'arrêtèrent tous à mi-chemin et John alla frapper à la porte de la maison de mamie Loulou.

Il lui avait promis qu'il viendrait la chercher pour l'emmener avec eux.

La vieille dame ouvrit et sortit prudemment. Elle était très élégante et portait une magnifique capeline printanière. Elle marchait avec une canne, mais voulait absolument se joindre au reste de la communauté. John lui offrit son bras. Elle le saisit et tout le monde reprit une marche certes plus lente, mais toujours aussi enjouée. John en profita pour discuter avec madame Lougin.

— Alors mamie, vous êtes contente de vous rendre à cette cérémonie ?

— Oui, bien sur mon petit et vraiment heureuse d'être parmi vous. Qu'il est mignon, votre fils dans cette robe, mais il a l'air triste non ?

— Oui, il est un peu grognon ce matin, mais ça ira mieux après, je pense.

— Possible, possible, je l'espère, c'est un grand jour pour lui.

— Eh oui ! un beau baptême pour un beau prénom et pour un magnifique petit garçon ! argumenta-t-il avec fierté.

Elle le regarda d'un air un peu inquiet.

— Pas seulement pour ça, mon petit John, pas seulement.

— Que voulez-vous dire ?

— Rien, rien. Profitez de cette journée, elle va être exceptionnelle.

John se tut un moment. Les remarques de Louise le faisaient réfléchir. Il se souvint de ce que lui avait dit sa femme au sujet de mamie Loulou. Elle semblait avoir un don divinatoire assez incroyable et reconnu de la plupart des gens des environs. Il décida de reprendre la conversation en continuant leur progression vers l'église.

— Je connais vos dons de médium, croyez-vous qu'il va se passer quelque chose de spécial aujourd'hui ?

— Je ne sais pas trop, confia-t-elle d'un air détaché. L'avenir est parfois si compliqué à déchiffrer, mais ce que je peux te dire c'est que ta destinée ainsi que celle de tout le village, et surtout celle de Lucas, se joue aujourd'hui. Alors, profite bien de cette belle journée, de tes amis, de ton fils, de ta femme, n'oublie jamais ce jour, crois-moi mon petit John.

Elle lui serra le bras un peu plus fort et John vit une larme couler sur sa joue. Elle l'essuya discrètement et se remit à sourire. Il voulut lui demander davantage de précision, mais en oublia l'idée en voyant sa femme rayonnante de bonheur avec leur fils. Il continua de marcher avec mamie Loulou à son bras. Il lui caressa la main en souriant et en se disant que l'avenir n'était peut-être pas tout tracé.

Marie et Charline parlaient beaucoup de leurs deux bambins durant le trajet. C'est ainsi que Charline en était arrivée à demander à Marie comment elle avait choisi les prénoms de son enfant, elle lui expliqua en détail.

— Eh bien ! vois-tu ? Le prénom de Lucas était une évidence pour John et moi. Nous étions d'accord depuis longtemps pour que notre premier garçon porte ce prénom. Quant aux suivants, pour le baptême, il y aura Alexandre, celui de mon père et Howard pour celui de John.

— Ils ne sont pas là ? demanda Charline.

— Hélas ! non ! les parents de mon époux sont aux États-Unis, ils vivent dans l'État du Minnesota à Saint-Paul. Quant aux miens ils vivent dans l'est de la France en Côte-d'Or, mais ils sont très affaiblis en ce moment, ils ne peuvent pas se déplacer aisément.

— Je comprends, c'est dommage, mais je suis sûr qu'ils sont présents par leurs pensées.

— J'en suis persuadée, approuva Marie.

Ils arrivèrent devant l'église. Le père Abel les attendait sur le parvis, un grand sourire affiché aux lèvres. Il les accueillit avec quelques mots.

— Bienvenue, mes amis dans la maison du Seigneur pour cette magnifique cérémonie de baptême. Veuillez entrer et prendre place, la bénédiction va bientôt commencer.

Tout le monde entra dans un joyeux brouhaha et s'installa dans l'église. Les quelques rayons de soleil présents passaient au travers des vitraux et projetaient de magnifiques couleurs arc-en-ciel à l'intérieur de l'édifice. Tout était réuni pour que la journée soit somptueuse.

Le père Abel commença par un long discours. L'assemblée était silencieuse et attentive. Ensuite, il demanda aux parents le choix des prénoms pour Julien et Lucas.

Les Beraud se levèrent en premier, s'approchèrent de la cuve baptismale et placèrent Julien au-dessus. Le père Abel versa de l'eau sur son front.

— Je te baptise, Julien, Honoré, Armand, au nom du Père, du Fils, et du Saint-Esprit.

Toute l'église entonna un Alléluia.

Ce fut au tour des Delson de s'approcher. Lucas était de plus en plus nerveux et agacé. Marie avait beaucoup de mal à le calmer et le donna à John à sa demande. Il essaya tant bien que mal, avec l'aide du curé, de le maintenir au-dessus de la cuve.

Il remuait de plus en plus et le père Abel dut s'y reprendre à plusieurs fois avant de pouvoir le signer correctement et de pouvoir prononcer ces mots.

— Je te baptise, Lucas, Alexandre, Howard, au nom du Père, du Fils, et du Saint-Esprit.

À peine la phrase fut-elle finie que l'assemblée n'eut pas le temps de chanter un deuxième Alléluia. Il y avait plutôt des cris de stupeur qui s'élevaient de celle-ci.

La statue de la Sainte Vierge située juste derrière eux se mit à pleurer. Des larmes coulaient de ses yeux et roulaient sur ses joues avant de tomber au sol. Le père Abel se recula, ainsi que John et Marie. Lucas était en pleurs et il était impossible de le calmer. Les gens se levaient. Un mouvement de panique commençait à se dessiner. Le docteur Fabri qui était présent, voyant l'état de Lucas, demanda à Marie de sortir de l'église. Celle-ci l'écouta, mais au moment de franchir les portes, elles se refermèrent violemment devant elle.

Elle courut en direction de la sacristie, le résultat était le même. Toutes les issues étaient soudainement fermées.

Lucas hurlait maintenant dans les bras de sa mère. Le sol commença à trembler dans l'église, tout le monde était paniqué. Chacun essayant de se raccrocher à ce qu'il pouvait. Des débris de pierres commençaient à tomber du toit du vieil édifice. Les statues se brisèrent par terre. Les cierges s'éteignirent tous les uns après les autres. Les bénitiers se fissurèrent laissant échapper leurs eaux saintes. Tout le monde courait en direction du chœur encore relativement épargné par l'événement. John aida beaucoup de personnes qui avaient trébuché durant le mouvement de trouble, surtout mamie Loulou qui avait du mal à se relever. Il lui prit le bras pour la soulever, le père Abel lui vint en aide aussitôt.

Le bruit était de plus en plus assourdissant, les tremblements s'accentuaient. Une fissure commença à se former devant les portes et se dirigea vers le centre de l'église. Elle s'arrêta net avant les quelques marches du chœur, au pied de Marie et Lucas. Le silence revint instantanément. Les secousses avaient cessé aussi. Les gens se regardaient, abasourdis devant un tel spectacle de désolation.

Les portes s'ouvraient d'elles-mêmes, laissant apparaître un ciel ténébreux. Un vent glacial s'engouffrait dans l'église. Des cris de terreur s'échappaient de la bouche de la plupart des invités en voyant se dessiner une silhouette immense entre les deux battants des portes ouvertes.

Elle ne bougeait pas, seule sa pelisse déchirée ondula sous les assauts du vent. Il était dans la pénombre, personne ne put le distinguer correctement.

Le silence était pesant, John prit la main de Marie, Lucas ne pleurait plus. Le père Abel s'agenouilla en se signant.

Le ciel s'éclaircissait de nouveau. L'apparition avança d'un pas pour se retrouver dans la lumière d'un vitrail que le soleil perçait. Un mouvement de recul se produisit chez les invités du baptême. À quelques mètres d'eux se tenait une forme relativement humaine, mais totalement défigurée. Ses bras étaient à nu, seuls les os étaient visibles avec quelques morceaux de chair brûlée.

Son visage sous sa capuche n'en était plus un. Au fond de ses orbites vides vibraient seulement deux lueurs bleues. Le reste de son faciès était lui aussi en décomposition. Il portait aux pieds des chausses de mailles rouillées et vraisemblablement tachées de sang. Dans sa main droite, une lourde épée qu'il traînait derrière lui marquait le sol en laissant échapper quelques étincelles à certains moments. Sur le surcot brûlé qu'il portait, on distinguait encore ses armoiries, deux serpents soutenant un cône.

Cécile de Vallerand ne put s'empêcher de pousser un cri en mettant ses mains devant sa bouche. Elle venait de reconnaître l'emblème que Romaric lui avait dessiné sur le mur du manoir. Le même symbole qui se trouvait aussi sur la cuisse de Lucas.

Ils étaient tous face au chevalier Pelham d'Orcival.

Il s'avançait lentement vers le chœur, son épée qui gravait le sol à chaque pas, fit un bruit strident qui résonnait dans toute l'église. Il regarda le Père qui était à genoux, puis sa tête se tournait pour observer Marie et surtout Lucas. Il s'arrêta à quelques pas devant eux. Il tendit sa main en direction de l'enfant, sa mère se recula pour protéger son fils en le serrant dans ses bras. Le chevalier s'en amusa et rebaissa son bras. Il avança sa main droite sur son épée pour s'en servir d'appui. Il regarda tout le monde et vit la peur et la crainte s'afficher sur leurs visages. C'est ce qu'il aimait voir depuis toujours. Il aimait inspirer ce genre de sentiments. Il adorait en particulier voir les gens le supplier.

Là, ce n'était pas encore le cas, mais il pensait que cela viendrait.

Personne n'osa dire un seul mot. Le Chevalier continuait de les regarder tous, un par un, comme s'il voulait reconnaître chacun d'entre eux, et pourquoi pas retrouver un air de famille avec quelqu'un qu'il aurait connu ou tué en son temps.

Il s'arrêta un instant sur mamie Loulou, c'était une des seules à ne pas baisser son regard devant lui. Il insista un moment, mais la vieille dame continuait de le fixer sans trembler, sans aucune peur dans ses yeux. Ceci ne lui plaisait guère, il le fit savoir en levant son épée avec aisance et en la rabaissant avec une grande violence sur un agenouilloir qu'il fendit en deux d'un seul coup. Tout le monde sursauta en criant. Louise, elle, ne bougea pas d'un pouce. Elle se redressa même un peu plus, comme pour le défier. Il n'insista pas et continua en regardant les autres convives. Il dévisagea désormais Cécile qui se trouvait à côté de

Marie. Elle avait les yeux baissés et tremblait de peur. On pouvait imaginer qu'elle ne puisse pas le regarder à cause du dégoût qu'il inspirait, et l'odeur nauséabonde qu'il dégageait était très incommodante. Il la reconnut et savait que c'était la descendance de Romaric de Vallerand, son maître, celui qui lui avait tout appris. Il regarda à nouveau Lucas et continua sur le père Abel, le regard au sol en train de prier très certainement. Pelham s'adressa à lui avec véhémence d'une voix d'outre-tombe.

— Relève-toi, misérable curé. Tu n'es pas digne de t'agenouiller devant moi.

Abel s'exécuta en prenant soin de ne pas le regarder. Pelham reprit son élocution.

— Je suppose que certains d'entre vous me connaissent, ou du moins ont entendu parler de moi. Pour les autres, sachez que je suis le Chevalier Pelham d'Orcival.

Quelques voix murmuraient dans l'assistance, tout le village connaissait cette magnifique tombe qui orne le centre du cimetière. Mais tout le monde savait aussi qu'il était mort il y a de cela cinq cents ans. Il reprit aussitôt.

— Je comprends votre surprise, je suis mort en effet…

Des cris de stupeurs montaient de la foule.

— Eh oui, mais grâce… Du moins à cause d'une personne que je hais au plus haut point, je suis toujours en ce monde.

Il regarda le père Abel en ayant dit cette phrase, et poursuivit.

— Mais en ce jour spécial, tout va changer, croyez-moi et…

John, un peu tremblant, l'interrompit.

— Que voulez-vous au juste ?

— Tiens, réagit Pelham, un courageux. Ah ! mais je te reconnais, tu es le père de l'enfant. Tu ne te souviens sûrement pas de notre première rencontre, mais tu es déjà au courant au fond de toi. Cherche bien, ça va te revenir.

John ne comprenait pas du tout et regarda sa femme d'un air étonné.

— Et là, c'est ta magnifique épouse qui a mis au monde cet enfant unique.

Marie recula davantage.

— Ne crains rien, la rassura Pelham, tu es un peu comme ma mère, je ne te ferais pas de mal.

Marie fit un pas en avant en serrant davantage Lucas dans ses bras.

— Je ne comprends pas, murmura-t-elle

— Ne t'en fais pas, tu comprendras en temps voulu. D'ailleurs, vous comprendrez tous bientôt.

Il se retourna vers Louise.

— Quant à toi l'ancienne, ne me défie plus jamais. Tu ne sais pas à quoi tu t'exposes. Tu ne me connais pas.

Elle se leva difficilement du siège qui lui avait été donné pour qu'elle se repose et vociféra.

— Si je te connais Pelham. J'ai connu certains de tes descendants. Je connais ton histoire. C'est toi qui devrais te méfier de ce que tu es en train de faire. Ils ne te laisseront pas agir impunément, tu es fou Pelham.

La vieille dame fut prise d'une quinte de toux et Cécile l'aida à se rasseoir.

— Moi, fou ? Laisse-moi rire, ironisa Pelham un brin agacé qu'on lui tienne tête. C'est toi qui es sénile. Tu crois qu'ils me font peur ? Foutaises ! rien ni personne ne m'empêchera de continuer.

Il regarda encore une fois Lucas et se dirigea vers l'entrée. Arrivé sur le perron, il se retourna en criant.

— Je suis revenu, il est moi, je suis lui, nous ne faisons qu'un. Ne demandez aucune pitié, il y a bien longtemps que je n'en ai plus. Priez si vous voulez, mais cela ne vous servira pas. Rien ne peut vous sauver. La peur, vous ne connaîtrez plus que ça désormais, grâce à lui, ah ! ah ! ah !

Il disparut en laissant tout le monde sans voix. Cette journée devait être belle, elle l'a été un instant seulement. Elle s'est transformée en une rencontre avec le mal, qui porte le nom de Pelham.

Chapitre 17

Dans la Citadelle de Clamor, tout le monde était au courant de la prestation de Pelham. Certains étaient de son côté et accueillaient avec joie et respect ce qu'il venait de faire. D'autres ne le comprenaient pas du tout. Mais dans l'ensemble, tous s'accordaient à dire qu'il venait de défier l'autorité de la Citadelle et plus particulièrement celle d'Alastor.

Celui-ci connaissait toutes les malédictions de chacun ayant résidé en ce lieu. Il savait que celle de Pelham était difficile à réaliser, mais pas impossible. Il avait d'ailleurs remarquablement agi au début en donnant ses pouvoirs à Lucas, mais maintenant Alastor se doutait bien qu'il y avait plus que cela. Le caractère de Pelham était très hautain de son vivant. Il n'avait certainement pas supporté d'être arrêté dans sa quête macabre par Romaric de Vallerand et le père Jean Abel. Ceci lui avait laissé un goût amer dans la bouche.

— Vous pensez la même chose que moi, demanda Alastor à l'un de ses gardes.

— Je ne sais pas de quoi vous parlez, maître.

— J'oubliai à qui je m'adressais. Je vous parle de Pelham d'Orcival. Il veut se venger de son sort, il ne veut pas de cette chance qui lui a été donnée de se racheter.

— Mais il ne peut pas, maître, il n'a pour ainsi dire plus de pouvoirs.

— En effet, c'est l'enfant qui les a désormais, mais d'après ce que j'ai vu, une partie de ce chevalier est en lui aussi. Il va se servir de Lucas comme d'une marionnette.

— Que pouvons-nous faire maître ?

— Nous, absolument rien. À part chasser les fugueurs, régler quelques problèmes et veiller sur toutes ces âmes, nous ne pouvons rien faire pour eux. Leur salut repose sur Lucas, il faut qu'il choisisse la bonne voie. Nous devons seulement surveiller si Pelham ou l'un de ses hommes revenait ici. Nous pourrons les empêcher de repartir et les garder à tout jamais. Mais sincèrement, je ne pense pas qu'ils feront une telle erreur.

*

Le père Abel fit le tour de son église et constata la multitude de dégâts que le chevalier avait provoqués. La plupart des statues et des tableaux se trouvaient sur le sol. Il y avait cette énorme et profonde fissure sur le sol de la nef, et la statue de la Sainte Vierge encore marquée par les larmes qu'elle avait versées.

Le père l'observa un moment sans comprendre. Marie, accompagnée de Lucas, vint lui poser la main sur l'épaule pour le réconforter. Les autres personnes essayaient tant bien que mal de remettre un peu d'ordre, et de ramasser tout ce qui était cassé pour l'entasser dans un coin de l'église. John tenait madame Lougin par le bras et l'emmena sur une chaise près de la sacristie et demanda à Cécile de rester auprès d'elle.

Le docteur Fabri vint également la voir pour s'assurer qu'elle se portait bien. Charline se tenait au côté de Marie avec Julien quant à son mari Robert, il aidait John et quelques autres personnes à une sommaire remise en état.

Le père Abel, tremblant, avait la main posée sur la statue en cherchant à comprendre.

— Que s'est-il passé ? répéta-t-il. Pourquoi a-t-elle pleuré ?

Il recueillit une larme qui était restée dans un repli du bras de la statue et la porta à ses lèvres.

— Ce sont de véritables larmes, comment est-ce possible ?

Personne ne pouvait apporter de réponses concrètes, d'ailleurs personne n'osait parler à cet instant. Tout le monde avait été choqué par cet événement.

Cependant, mamie Loulou se leva péniblement, aidée par Cécile.

— Le seigneur sait ce qui va se passer, s'exprima-t-elle avec un léger essoufflement. Il nous a envoyé un signe avec ces larmes. Ce n'est que de la tristesse et de la peur qui nous attend désormais. Ce chevalier est revenu d'entre les morts pour semer le chaos, il ne recherche pas le repos éternel, plus maintenant.

Son auditoire resta sans voix.

— Je sais de quoi sera fait notre avenir, mais je sais aussi très bien interpréter les signes et remonter très loin dans le passé. Ce Pelham a été tué il y a cinq cents ans sans trouver le repos. Aujourd'hui, il revient, mais pas seul.

Elle fit quelques pas vers Marie qui tenait Lucas dans ces bras.

— Cet enfant, innocent, il veut en faire son valet de la cruauté, c'est grâce à lui qu'il veut assouvir sa soif perpétuelle de sang. Marie, ajouta-t-elle en lui caressant la joue, il va falloir être forte, pour vous et pour lui. C'est Lucas qui a été choisi pour cette sinistre mission et il aura besoin de tout votre amour pour faire les bons choix.

Marie ne put s'empêcher de verser quelques larmes. Elle regarda Lucas qui lui fit un sourire, et la fit sourire à son tour.

— Ne t'en fais pas mon bébé, avec papa nous te protégerons et nous t'aiderons, je te le promets.

La plupart des convives étaient rentrés chez eux, le grand repas tant attendu s'était transformé en collation et chacun était reparti avec des victuailles chez lui.

Cécile arriva à son manoir, l'air un peu hagard. Elle rentra et s'écroula dans son fauteuil, sans avoir la force d'enlever son manteau.

Romaric vint la voir.

— Dure journée Cécile, n'est-ce pas ?

Elle sursauta, se croyant seule.

— Oui très éprouvante, affirma-t-elle.

— Alors comme ça il est venu, je ne pensais pas qu'il le ferait tout de suite.

— Oui, il est arrivé juste après la bénédiction de Lucas, mais je ne comprends pas pourquoi il s'est présenté aujourd'hui.

— C'est Pelham. Tu sais, il a un ego démesuré. Il a sûrement voulu montrer que c'était lui qui décidait de tout. Il a certainement voulu inspirer à tout le monde la crainte et le respect.

— Comment respecter cette… chose ? s'énerva Cécile.

— Il se croit encore aussi fort que durant ces dix ans ou il a fait régner la terreur dans ce village et aux alentours jadis.

— Ce qui m'inquiète c'est que je ne sais même pas si nous pourrons faire quelque chose, pas même toi peut-être ?

— Hélas ! ni moi ni personne ne peut rien y faire pour le moment. Ce qui le rendra fort ou l'affaiblira, c'est le choix de Lucas. Moi je suis trop faible depuis ma mort, et je n'ai plus autant de pouvoir. Pelham aussi est vulnérable, il ne peut que se renforcer grâce à Lucas, si celui-ci décide de continuer du côté du mal.

— Comment un enfant pourrait se tourner vers le mal à ce point ? demanda Cécile.

— Tu sais, il a mis ses pouvoirs en lui, et ses pouvoirs ne sont puissants que du côté des ténèbres, le chemin est plus aisé. S'il décide de faire le bien avec eux comme le prévoit la malédiction, la tâche sera plus ardue, car ses pouvoirs sont noirs. Les ramener à la lumière pour faire le bien est une épreuve dont je ne voudrais pas m'acquitter.

— Pourtant lorsque tu lui as enseigné la magie, ils étaient bons n'est-ce pas ?

— Oui Cécile, mais comme je te l'ai dit le choix du mal est plus aisé. Il a fait de mon enseignement ce que peu de personnes auraient pu faire. Mais son esprit est devenu sombre grâce aux âmes perdues échappées de la Citadelle de Clamor, il n'est pas entièrement responsable.

— Pas responsable, s'insurgea Cécile. Avec tout ce qu'il a fait comment peux-tu dire cela ?

— Simplement qu'au départ Pelham était un petit garçon comme Lucas. Il ne serait pas venu jouer près du lac lorsque j'ai fait la visite à son père pour les travaux, il ne serait jamais devenu ce monstre sanguinaire qu'il a été autrefois.

Cécile était dubitative, elle avait du mal à comprendre que Romaric puisse encore lui trouver des excuses. Mais au fond, elle savait très bien qu'il avait raison, elle avait vu les âmes sortir du lac. Ce n'était en fait qu'un concours de circonstances que Pelham soit visé. Cela aurait pu être n'importe quel enfant du village jouant devant ces eaux obscures à ce moment précis.

*

John et Marie rentrèrent chez eux aussi et accompagnèrent les Béraud un instant avant de prendre la direction de leur maison.

Ils ne s'étaient pas vraiment parlé depuis l'événement. Ils ne savaient pas trop quoi se dire à ce sujet. Ils venaient d'apprendre que leur fils était en quelque sorte habité par une partie d'un être démoniaque, et que l'avenir dépendait de lui. On ne pense pas forcement à ça quand on fonde une famille, cela les dépassait complètement.

Ils installèrent Lucas dans son parc en bois. L'enfant était absolument étranger à tout ceci. Il s'amusait comme si cela n'avait aucune importance. Marie et John s'étaient assis à la table en face de lui. Ils burent une tasse de café en le regardant. Marie osa briser le silence.

— Qu'allons-nous faire, chéri ?

— Attendre, observa John, il n'y a peut-être pas grand-chose de vrai dans cette histoire.

— Je l'espère, je ne vois rien d'anormal, il rit, il joue. Comment cette espèce de… Je ne sais pas comment l'appeler serait en lui.

— Ce ne sont que des superstitions. Il m'a bien dit que l'on s'était rencontré alors que je n'en ai aucun souvenir. Pourtant ce que nous avons vu est bien réel, beaucoup de monde était présent.

— Oui, soupira Marie en regardant Lucas. Et si ce rêve que j'avais fait était un reflet de la vérité. Si notre fils était bien destiné à accomplir une quelconque mission aussi nébuleuse soit-elle. Pourquoi notre bébé ?

Elle saisit la main de John avant d'essuyer discrètement une larme sur sa joue.

Chapitre 18

Le début de l'été mille neuf cent soixante-quinze était arrivé. Les événements survenus durant le baptême de Lucas et Julien demeuraient dans les mémoires, mais plus personne n'en parlait.

Il faut dire que rien de particulier depuis ce jour-là qui aurait pu rappeler de mauvais souvenirs ne s'était produit. La vie suivait son cours simplement et en totale quiétude.

Lucas allait avoir quatre ans et gambadait en toute allégresse entre le salon, le jardin et les escaliers que ses parents lui interdisaient d'emprunter tout seul. John et Marie regrettaient presque les années où celui-ci était dans son parc, ne serait-ce que pour leur repos. Lucas était plein de vie et très vigoureux pour son âge et il s'intéressait à tout. Les animaux le craignaient énormément. Les chiens et les chats partaient dès qu'il le voyait approcher.

Marie avait tenté d'acheter un chat, mais ils durent s'en séparer après quelques mois. L'animal était terrorisé, pourtant Lucas ne lui faisait pas de mal, il essaya même d'être son ami, mais rien n'y faisait. Le chat vit désormais chez les Béraud, où il est beaucoup plus à l'aise.

John et Marie s'étaient aperçus de la tache de naissance de leur fils qui avait grandi. On distinguait bien les deux serpents entremêlés. Ils s'étaient rendus à l'évidence en allant chercher des renseignements auprès de Cécile, qui était toujours sa nourrice, que c'étaient bel et bien les armoiries de la famille d'Orcival. Comme rien ne s'était passé depuis quelques années, ils n'y prêtèrent plus guère d'attention.

*

Le père Abel avait dû faire quelques réparations dans son église. Elle n'était plus aussi jolie qu'autrefois, mais elle était toujours debout et c'était bien là l'essentiel. Il avait fait venir de différents endroits, les statues et les tableaux qui avaient été détruits durant la visite du Chevalier. Par contre, il avait conservé précieusement la statue de la vierge qui s'était mise à pleurer à la fin de la cérémonie. Il la regardait souvent pour essayer de comprendre, mais en vain.

Il avait à l'égard de cet objet une tendresse toute particulière. Il pensait même qu'elle avait agi pour protéger les personnes présentes à l'intérieur de l'église, car après réflexion il n'y avait eu aucun blessé. Il se doutait aussi que le seigneur avait voulu le prévenir, lui et tout le village.

En arpentant la nef, on pouvait voir au sol une terrible cicatrice. La fissure faite dans la magnifique mosaïque avait été rebouchée avec du simple ciment.

Abel disait toujours que son église avait été défigurée par le mal.

Pendant ces quatre années, il n'avait guère cessé de penser à cette histoire. La vue, chaque matin, de son édifice meurtri le lui rappelait. C'est pour cela qu'il passait la plupart de son temps à essayer de remettre en état tout ce qu'il pouvait.

Il avait vu le chevalier d'Orcival, comme tout le monde. Il savait désormais qu'il pouvait venir à chaque instant. Ce qui l'étonnait le plus, c'est le fait que personne n'en ait entendu parler depuis ce jour maudit. Cela l'inquiétait tout autant. Où était-il en ce moment ? Que faisait-il ? Que préparait-il ? Toutes ces questions le taraudaient. Il vivait chaque jour dans la crainte de le revoir.

Il sursauta lorsqu'un raclement de gorge le sortit de ses pensées. Il se retourna et vit madame Lougin s'installer sur un siège à quelques mètres de lui. Il se déplaça pour la saluer.

— Bonjour, Louise. Comment allez-vous ?

— Ma foi pas trop mal, et vous-même ?

— Bien. Je m'acharne à rendre ce lieu aussi paisible qu'autrefois. Je pense que j'approche du but malgré les stigmates qui ne disparaîtront jamais.

Louise regarda le sol.

— En effet, cette marque doit nous rappeler à chaque instant ce que nous avons vu et entendu. Les ténèbres nous ont rendu visite, ne l'oublions pas.

Le père Abel changea de sujet.

— Vous êtes venu vous recueillir, je vais vous laisser avec notre seigneur.

— Non, restez. Je suis assez seule chez moi, j'ai besoin de compagnie. Je fais de plus en plus de rêves étranges ces temps-ci. Je revois sans cesse ce monstre me parler, mais ce qu'il me dit est différent à chaque fois.

Le père Abel ne sut trop quoi répondre.

— Vous… voulez-vous en parler ?

— Oui, mais pas ici, allons dans un confessionnal, je vous prie.

Il accepta et emmena la vieille dame s'asseoir dans l'isoloir. Il prit place de l'autre côté. Ils se voyaient seulement au travers du panneau supérieur à claire-voie.

— Je vous écoute, madame Lougin.

— Ne vous en faites pas, je ne suis pas là pour me confesser. Le travail serait trop fastidieux.

Il eut un sourire au coin des lèvres et l'écouta.

— Voilà au sujet de ces rêves, j'ai l'impression qu'il me parle et surtout qu'il veut me raconter ce qu'il va se passer. Je le vois au même endroit, dans cette église, debout devant moi, vêtu des mêmes haillons. Il a son impressionnante épée levée à bout de bras. Il me décrit différentes choses, cela change à chaque fois, et lorsqu'il a fini, son arme s'abat sur moi et c'est là que je me réveille en sursaut.

— Et vous souvenez-vous de tout ce qu'il vous dit à chaque fois ?

— Oui, malheureusement.

— Pourquoi malheureusement ? s'étonna le père Abel.

— Eh bien ! ce sont toujours de mauvaises paroles, des paroles de mort, de terreur. Ne m'en veuillez pas, mais ces mots reviennent souvent sur vous. Il veut votre perte, mais cela ne dépend pas de lui. Il ne peut rien faire de mal dans ce monde, car la Citadelle veille. Vous en avez entendu parler ?

— Oui, Mademoiselle Chevin m'en a touché quelques mots.

— C'est une brave petite cette Vallerand. Bien sûr, je connais son identité, elle se devait de la dissimuler pour les hommes de Pelham.

— Oui effectivement. Mais dites-moi quand il dit que cela ne dépend pas de lui, de qui parle-t-il ?

— De Lucas, c'est lui qui détient ses pouvoirs.

— Je ne m'y ferais jamais, marmonna le père, pourquoi choisir un enfant et lui gâcher ainsi sa vie, il ne sera jamais heureux.

— Cela dépendra de ses choix, mais en tout cas faites très attention à vous surtout en présence de Lucas. Nous ne savons pas encore de quoi il est capable à son âge. Je pense qu'il est un peu jeune, mais il doit très certainement être en pleine phase d'apprentissage. Il a des pouvoirs certes, mais il ne peut pas s'en servir, du moins je l'espère.

Elle se releva de son siège et sortit du confessionnal, le père Abel en fit autant. Ils se saluèrent sans un mot, juste un regard de compassion, puis madame Lougin quitta l'église.

Le père reparti vers son presbytère en repensant à tout ce que lui avait dit Louise. Il avait du mal à croire que les années à venir allaient être difficiles, que tout reposait sur un enfant, et que sa vie était plus en danger que jamais. Il haïssait plus que tout ce chevalier.

*

Les Delson étaient en train de se préparer pour le dîner quand Marie demanda à John où se trouvait leur fils. Il s'arrêta de mettre la table et commença à chercher dans la cuisine puis dans le jardin. Ils l'appelèrent à plusieurs reprises, mais aucune réponse de Lucas. L'inquiétude laissa place au soulagement lorsque John le vit en haut des escaliers en train d'essayer d'ouvrir la porte du grenier.

Il monta les marches quatre à quatre pour saisir Lucas par la taille et le prendre dans ses bras. Le garçon se mit à pleurer en disant qu'il voulait entrer. Son père refusa catégoriquement dans un premier temps, puis en descendant l'escalier il s'arrêta net. Dans sa tête, il se passa quelque chose d'étrange.

Il se vit tomber dans un trou et se retrouver dans le noir total. Il se souvint de deux yeux puis plus de rien. Il revit le chevalier lui dire ces mots après le baptême : *tu ne te souviens pas de notre*

170

rencontre, mais tu es déjà au courant au fond de toi... Cherche bien.

Il regarda Lucas qui s'était calmé, et remarqua dans son regard d'étranges lueurs bleues qu'il avait déjà vu auparavant. Il le posa à côté de lui, l'enfant remonta les marches en direction du grenier.

Il demanda à son père de lui ouvrir la porte. C'est à ce moment que John se souvint de l'empreinte de main gravée dans le mur. Marie était en bas de l'escalier, elle interpella John.

— Que se passe-t-il ?

— Je vais lui ouvrir la porte, donne-moi les clefs.

— Tu es sûr, insista Marie.

— Je t'en prie, ne me pose pas de questions, donne-moi les clefs.

Elle se rendit près de l'entrée pour prendre le trousseau et monta les quelques marches pour le donner à son mari.

Celui-ci inséra la clef dans la serrure et donna deux tours. Il ouvrit la porte et Lucas entra précipitamment, suivi de ses parents. Il se retourna en leur parlant sèchement.

— Non, pas vous.

Très surpris, John et Marie s'arrêtèrent aussitôt.

— Pourquoi mon chéri, demanda Marie ?

— Reculez, sortez.

Ils se regardèrent tous les deux, l'incompréhension se lisait dans leurs yeux. Ils firent un pas en arrière. Lucas les regarda fixement et leva le bras dans leur direction, la porte se referma brutalement. John tourna la poignée, mais impossible d'entrer. Marie frappa en appelant son fils, mais elle n'eut aucune réponse en retour.

Lucas était seul à l'intérieur. Il scruta les alentours avec minutie, puis se dirigea vers le mur du fond.

Il se plaça devant l'empreinte de main, et y apposa la sienne sans aucune hésitation. La pierre du dessous glissa vers lui. Il put apercevoir une cavité où se trouvait un petit coffret.

Il s'en saisit et refit la manipulation pour refermer la cachette. Il se déplaça vers la porte avec sa découverte sous le bras, et la rouvrit d'un geste de la main.

Ses parents étaient devant lui, l'air hébété. Ils lui demandèrent si tout allait bien. Il ne répondit pas et continua son chemin jusqu'à sa chambre, où il s'enferma, toujours d'un geste très précis de la main.

Il monta sur son lit et posa le coffret sur ses genoux. Il regarda la porte, car il savait que ses parents étaient derrière à essayer d'entrer.

Il examina la boîte sous tous les angles et il remarqua plusieurs boutons en dessous. Il les effleura pendant un moment puis les enfonça dans un ordre bien spécifique, comme s'il connaissait la combinaison.

Il reposa le coffret et au bout de quelques secondes, il s'ouvrit.

Le couvercle pivota et Lucas regarda les yeux mi-clos la vive lumière bleue qui s'en échappait.

Une mélodie accompagnait cette lumière, telle une boîte à musique. Elle était douce et véritablement apaisante. Lucas la regarda un long moment, en se laissant bercer par cette petite symphonie.

Sa tête se posa délicatement sur l'oreiller à côté de lui. Ses paupières se fermèrent et il s'endormit.

L'étrange lueur bleue sortit du coffret et survola Lucas en grandissant sans cesse. Au bout de quelques instants, toute la pièce était remplie d'une brume à la couleur de l'azur.

John et Marie virent sous la porte passer quelques volutes bleues, ce qui les poussa davantage à essayer de l'ouvrir. Ils craignaient que la vie de Lucas soit en danger. La porte ne bougea pas, elle était comme scellée.

Dans la chambre, bien que brumeuse, l'atmosphère était d'une douceur et d'une quiétude incroyable.

Des visages commençaient à se dessiner au-dessus de Lucas qui ressemblait aux âmes perdues. Les hommes de Pelham étaient présents aussi, ils virevoltaient autour de l'enfant.

Soudain, la musique s'arrêta et le chevalier d'Orcival fit son apparition. Il se pencha au-dessus de Lucas.

— Nous sommes enfin seuls. Quelle joie de te voir, mon jeune ami ! Ce coffret que tu as trouvé et qui t'était bien entendu destiné contient les âmes perdues qui m'ont aidé à devenir ce que je suis, du moins ce que j'étais, avant ma mort. Elles vont te faire l'honneur de partager ton corps et ta vie durant ces longues années qui t'attendent. Laisse-les entrer en toi, tu n'en seras que plus fort.

Les âmes tournoyaient autour de Lucas en se rapprochant régulièrement jusqu'à être proche de son visage. Puis elles s'arrêtèrent avant de reculer et de se diriger vers le coffret.

— Que se passe-t-il ? demanda Pelham.

— Je crois que quelque chose les dérange, remarqua Jasper. Il faut leur demander ce que c'est.

— Tu sais très bien que les âmes perdues ne peuvent pas parler en dehors d'un corps, s'énerva Pelham.

Il s'arrêta un instant en regardant le cou de l'enfant, et fit signe à Jasper de regarder de quoi il s'agissait.

— C'est une sorte de collier, on dirait… Un œil céleste.

Pelham ricana.

— Je ne connais qu'une personne qui en possédait de telles dans son laboratoire.

Jasper le coupa.

— Romaric de Vallerand, n'est-ce pas ?

— En effet, mais il est mort. Comment cet objet peut-il se trouver sur cet enfant ? Je comprends pourquoi les âmes ne peuvent pas entrer, il doit être enchanté et il le protège. Ce n'est pas grave, que les âmes perdues retournent dans leur coffret. Je saurais faire autrement pour le soumettre à ma volonté, mais j'ai déjà remarqué que mes sorts qui sont en lui grandissent, et qu'il commence à s'en servir. Partons maintenant.

La pièce se vida de la brume presque instantanément, Pelham et ses hommes disparurent aussi et les âmes reprirent leur place dans la boîte qui se referma.

Lucas se réveilla et alla déposer son coffret sur une petite étagère non loin de son lit.

Il déverrouilla la porte à la plus grande joie de ses parents qui entrèrent précipitamment, mais ne virent aucune trace de la scène qui venait de se dérouler.

Marie le prit dans ses bras en lui demandant si tout allait bien, Lucas acquiesça de la tête.

John fit le tour de la chambre et ne vit rien. Il remarqua seulement le coffret posé à côté des peluches. Il le regarda un long moment, mais il ne le toucha pas, il savait que cela concernait son fils et uniquement lui.

Ils redescendirent tous les trois à la cuisine pour se réconforter avec une tasse de chocolat chaud.

John et Marie savaient désormais qu'ils pouvaient perdre Lucas à chaque instant. Cette vision des choses les horrifiait et leur poignait le cœur. Comment pouvaient-ils lui venir en aide ?

Chapitre 19

Cécile ne travaillait pas en ce moment, les Delson s'étaient offert quelques jours de vacances pour profiter de leur fils et se reposer.

Elle occupait ses instants libres en jardinant un peu, du moins ce que Romaric lui laissait faire. Il était très protecteur et faisait tout à sa place, avec un soupçon de magie, ce qui irritait souvent Cécile, car cela la plongeait dans un ennui inimaginable. Alors par cette belle matinée ensoleillée, elle décida d'enlever les mauvaises herbes qui étaient au pied du manoir et qui avaient la fâcheuse manie de monter sur les murs. Elle s'acquitta de cette tâche en chantonnant un air que son père lui chantait souvent. Elle semblait heureuse à ce moment précis.

Romaric de Vallerand vint se mettre à côté d'elle sans qu'elle s'en aperçoive. Elle était accroupie, la tête baissée et concentrée sur ses herbes.

Il se tenait là, sans rien dire. Il l'écoutait avec une certaine mélancolie.

Elle se retourna pour prendre le seau qui se trouvait derrière elle. Elle aperçut Romaric et fit un bond en arrière. Elle se retrouva sur son séant en un rien de temps.

Romaric éclata de rire, mais Cécile était plutôt énervée.

— Tu m'as fait une telle frousse, tu aurais pu me prévenir que tu étais ici.

— Désolé. J'écoutais ta chanson et je ne voulais pas t'interrompre, mais j'avoue ne pas avoir ri de si bon cœur depuis bien des lustres.

— Évidemment, grommela Cécile un peu vexée. Que veux-tu au juste ?

— Je venais voir si tu avais besoin de moi. Ce serait plus vite fait, tu sais.

— Oui, je sais, mais laisse-moi faire ce travail. Il faut que je me consacre à une autre activité de temps à autre. Depuis le début de l'été, je ne suis plus chez les Delson pour m'occuper de Lucas. Si je ne fais rien, je vais devenir folle.

— Bon d'accord, mais si cela devient trop pénible dit le moi je t'aiderai.

— Ne t'en fais pas. Évite juste de me faire peur à l'avenir.

— Excuse-moi encore, ricana Romaric avec un sourire malicieux.

— Tu sais bien que je ne t'en veux pas et...

Cécile n'eut pas le temps de finir sa phrase, un énorme bruit l'interrompit. Cela ressemblait à une très forte explosion, du moins à quelque chose de ce genre.

Elle se leva en toute hâte et se précipita vers le portail, où Romaric était déjà apparu.

— Qu'est-ce que c'était ? demanda Cécile.

— Je n'en ai pas la moindre idée. Tu devrais peut-être aller voir, cela vient du village apparemment.

Cécile ne perdit pas un instant. Elle jeta son tablier et ouvrit la grille avant de s'engouffrer dans la forêt. Elle courut à en perdre haleine avant de voir un immense trou sur le chemin au milieu des arbres. Elle faillit tomber dedans. Il s'en fallut d'un rien. Elle eut juste le temps de se raccrocher à une branche puis de se jeter sur le côté pour éviter le drame.

Elle reprit son souffle avant de se rendre compte de l'immensité de ce qu'il y avait devant elle.

Un gigantesque cratère se trouvait là, au milieu des bois. Elle le contourna en passant dans les fourrés. Elle se blessa avec les ronces, mais continua d'avancer. Elle arrivait en vue du village et constatait qu'il n'y avait rien de spécial, elle revint au niveau du trou.

Elle l'examina minutieusement et vit qu'il semblait être sans fond. Son diamètre devait avoisiner la dizaine de mètres environ. Au-dessus du trou, les arbres étaient calcinés. C'était comme si un gigantesque éclair avait creusé le sol à cet endroit. Elle ne voulut pas s'en approcher davantage et le contourna à nouveau pour retourner au manoir.

Elle arriva et Romaric la vit avec ses vêtements déchirés par endroit et quelques traces de sang.

— Mon Dieu ! que t'est-il arrivé, Cécile ?

— Rien ne t'en fait pas, j'ai dû passer dans les ronces. Il y a un énorme trou dans la forêt.

— Un trou, s'étonna-t-il ?

— Oui, c'est sûrement le bruit que nous avons entendu, mais je ne sais pas ce qui en est la cause. Tu devrais venir voir.

— Tu sais bien que je ne peux pas trop m'éloigner d'ici. Si je suis resté dans ce manoir depuis ma mort, c'est à la condition que je ne m'en éloigne pas, le pacte est fait ainsi. C'est ce que j'ai choisi lors de mon trépas, plutôt que le repos éternel. Si je pars d'ici, je disparaîtrais définitivement, et je ne peux pas me le permettre, tu as besoin de moi.

— Je sais tout ça, assura Cécile, mais ce n'est pas loin et tu m'as toujours dit que ta disparition ne se ferait que progressivement. Tu pourras toujours revenir si le besoin s'en fait sentir.

Romaric était hésitant, mais devant l'insistance de Cécile il finit par accepter.

— Je vais y aller, mais je ne resterai pas longtemps. Retrouve-moi là-bas.

Cécile se mit à courir. Lorsqu'elle arriva, Romaric considérait le cratère.

— Qu'en penses-tu ?

— Je ne sais pas. Je vais descendre un peu pour voir.

Il se laissa tomber et se mit à voler tout en descendant à une allure assez rapide.

Il ne voyait rien, seulement un gouffre qui lui donnait l'impression d'aller jusqu'au centre de la terre.

Après quelques minutes, il parvint au fond. Il regarda au-dessus de lui et aperçut un tout petit point lumineux qui correspondait à la lumière du jour. Il voulut remonter quand il entendit une sorte de grognement, un souffle éraillé. Il regarda de plus près la paroi lorsqu'un animal ou un être difforme bondit en lui passant au travers. Il se matérialisa près de Cécile en lui criant de repartir vite vers le manoir.

Elle s'exécuta, sans poser de questions. Romaric essaya de se téléporter auprès d'elle, mais ses forces diminuaient. Il disparaissait lentement. Il avança en volant le plus vite qu'il pouvait, ses pouvoirs commençaient à défaillir. Il était quasiment effacé de ce monde quand il réussit à se rapprocher davantage du manoir.

Il retrouva alors son énergie et il redevint lui-même au fur et à mesure de son approche près de sa prison dorée, comme il aimait l'appeler.

Il arriva enfin près de Cécile devant la porte d'entrée. Il lui demanda de se mettre à l'abri dans le salon. Il se retourna et regarda si cette chose le suivait. Il ne vit rien.

Il entra rejoindre Cécile qui essayait de retrouver un nouveau souffle après cette course folle.

— Ça va ? lui demanda-t-il.

— Oui, je vais boire un verre d'eau et ça ira. Qu'est-ce que tu as vu là-bas ?

— Je n'en suis pas sûre, mais je crains que ce soit un Kadrac.

— Un quoi ?

— Un Kadrac. Ce sont les chiens des Veilleurs des Abîmes. Du moins, ils n'ont de chien qu'une relative apparence avec eux.

Ce sont des créatures indescriptibles, hideuses, mais très dangereuses, surtout pour les âmes perdues ou ceux qui sont recherchés par la Citadelle de Clamor.

Ils sont envoyés généralement avant les Veilleurs. Ils voient au travers de leurs yeux et traquent leurs proies grâce à eux. Les Veilleurs ne se déplacent que lorsqu'ils sont sûrs de l'endroit où la cible se cache. Ce que j'ai du mal à comprendre c'est pourquoi il n'y en a qu'un seul et pourquoi l'ont-ils envoyé ?

— Mais ce trou s'interrogea Cécile, tout le monde va le voir et puis c'est dangereux.

— Non, il se sera refermé de lui-même d'ici quelques heures, le temps que le Kadrac en sorte.

— Où va-t-il aller ?

— Dans un premier temps, il va se terrer dans la forêt, il doit reprendre des forces. Le voyage jusqu'ici est très éprouvant, même pour eux. Il va se nourrir de tout ce qu'il trouve : animaux, humains…

Cécile l'interrompit.

— Humains ! tu as bien dit des humains ?

— Oui. Ce sont des créatures abjectes et dénuées de sens moral, n'importe quelle chair fraîche fera son affaire.

— C'est parfait, soupira Cécile en se laissant tomber dans le fauteuil. Et ensuite, il fera quoi ?

— Une fois ses forces retrouvées, il partira en quête de sa cible. Il la traquera nuit et jour en se nourrissant de tout ce qui se présentera sur son chemin, puis il repartira comme il est venu une fois sa proie trouvée. Ensuite, un Veilleur des Abîmes viendra finir le travail.

— As-tu une idée de ce qu'il recherche ?

— Peut-être Pelham, mais j'en doute. Il n'a encore rien fait d'extraordinaire. Ou simplement des âmes perdues. En tout cas, pour le moment ne sors plus et ne va plus dans la forêt. Il ne viendra pas ici, il est certain que son objectif ne se trouve pas en ces lieux.

— Comment vais-je faire pour me rendre au village alors ?

— Ne t'en fais pas, sa mission est souvent très courte. Il trouve rapidement ce qu'il cherche en principe.

— En principe dis-tu, rien n'est moins sûr.

— Il se peut que cela dure plus longtemps en effet, mais soit confiant, tu ne risques rien ici.

Cécile réfléchit un instant.

— Mais dis-moi, et les habitants du village, ils risquent leurs vies dans ce cas ?

— Hélas ! accorda Romaric. Malheureusement, nous ne pouvons rien y faire. Il faut juste espérer que le Kadrac trouve rapidement ce qu'il cherche sans avoir besoin de se nourrir.

Cécile se croisa les bras. Un frisson d'effroi venait de la parcourir en entendant ces paroles.

*

La créature arrivée dans les bois aux abords du village appartenait au chef des Veilleurs des Abîmes qui se prénommait Stygma. Il était le second direct d'Alastor. C'était un Veilleur très tenace et tout aussi cruel que les autres. Il voyait donc ce que son Kadrac voyait. C'était la particularité de ces monstres et des veilleurs. Une fois envoyé dans le monde des mortels, ils ne formaient plus qu'un.

Le Kadrac n'avait pas de nom, il n'y avait aucune forme d'amitié ou de sentiments entre les deux. Pour les Veilleurs, ce n'était qu'une arme très puissante qui leur permettait de ne prendre aucun risque.

Il venait de sortir de son gouffre. Il venait de creuser un passage en colimaçon tout autour du trou jusqu'à la surface, grâce à ses puissantes griffes au bout de ses pattes. À hauteur du sol, très épuisé par cette harassante tâche, il se dissimula derrière un volumineux buisson de ronces. Il se coucha, le souffle rapide, la bave coulant de sa gueule garnie de dents impressionnantes. Des dents faites pour déchiqueter. Son torse se levait au rythme effréné de sa respiration. Son buste à demi exempt de peau laissait entrevoir tous ses muscles massifs. Ses pattes étaient aussi grosses que deux mains d'adultes. Elles étaient pourvues de griffes acérées auxquelles aucune chair ne résistait.

Pendant ce temps-là, on entendit un bruit d'effondrement assez violent. Comme l'avait dit Romaric de Vallerand, le trou se reboucha. Il ne restait plus qu'une partie de terre qui semblait avoir été fraîchement retournée, au milieu du chemin.

Le Kadrac s'était remis debout. À la place des yeux, il avait la même lueur bleue que les Veilleurs des Abîmes. Il scruta aux alentours. Il devait se nourrir. Il aperçut un lapin un peu plus loin. Il sauta dessus avec une agilité incroyable et lui asséna un coup de patte terrible. La pauvre bête fut coupée en morceaux et avalée tout aussi rapidement. Mais cela ne suffit pas à le rassasier. C'était une maigre pitance pour ce mastodonte de plus d'un quintal.

Il s'avança un peu plus vers le chemin en cherchant désespérément de quoi se nourrir. Il renifla le sol à la recherche d'un quelconque animal qui serait passé dans les parages dernièrement.

Il releva brusquement la tête lorsqu'il entendit un bruit. Son regard s'arrêta sur un cerf qui prenait la fuite. Il le prit en chasse et au bout de quelques secondes de courses très rapides, il sauta et lui planta ses griffes dans les flancs. Le cerf tomba en poussant un râle effrayant. Le Kadrac le maintenait au sol et commençait à se délecter de sa chair alors que l'animal était encore vivant.

Le festin dura quelques minutes, après quoi il ne restait plus rien de ce magnifique cerf. Il était enfin repu et en possession de toutes ses forces.

Il reprit sa route et arriva à la lisière du bois qui donne sur le village. Il se cacha dans les buissons pour observer et sentir. Son odorat repérait aisément où se trouvaient les âmes perdues, car il était ici pour elles. Ces âmes qui s'étaient enfuies par le lac devant les yeux de Cécile et qui avaient trouvé refuge dans le coffret caché chez les Delson.

Il aperçut quelques personnes qui se promenaient dans le parc. Il s'en désintéressa totalement. Il était rassasié. Il longea la rue au plus près des murs des différents bâtiments pour rester le plus discret possible. Il avança lentement jusqu'à se retrouver dans la rue des noisetiers. Il passa un long moment à flairer la porte du numéro six, il avait trouvé sa proie.

On entendit soudain un cri venir de la rue. Le Kadrac tourna lentement la tête. Il vit une femme, figée par la frayeur. Il commença à avancer vers elle doucement. Il se lécha les babines en la fixant dans les yeux. Un filet de bave commençait à couler le long de ses crocs. Un grondement inquiétant émanait de sa gorge. Ses griffes marquaient le sol à chaque mouvement. La femme se mit à pleurer en criant de plus belle, mais personne n'était dehors pour l'entendre. Elle se mit à genoux, la tête dans ses mains. Le Kadrac était proche de son visage. Il s'arrêta et sentit l'odeur de la peur. Il ouvrit sa gueule et la referma sèchement sur son cou.

Elle s'effondra sans bruit, retenue par les mâchoires de la bête. Il l'emmena aussitôt dans le bois pour la faire disparaître. Seule une énorme tache de sang restait sur les pavés de la rue, unique témoignage du drame qui venait d'avoir lieu.

Stygma avait vu toute la scène, mais cela ne le gêna pas le moins du monde. Il savait que cela faisait partie du jeu comme il aimait le dire. Le principal maintenant c'est qu'il savait que les âmes perdues se trouvaient chez les Delson. Il n'avait plus qu'à y aller et avant toute chose faire revenir son animal.

Pour cela, il lui demanda de se remettre à l'endroit où il avait atterri. Une boule bleue se forma au-dessus de lui et l'enveloppa entièrement avant de le faire disparaître. Il se retrouva à la Citadelle de Clamor devant son maître qui le félicita. Le Kadrac avait encore les babines pleines de sang et un morceau de chemisier dans sa gueule.

Le Veilleur des Abîmes fit son rapport à Alastor. Celui-ci l'encouragea à aller les détruire tout de suite avant qu'elles ne s'en aillent une nouvelle fois.

Stygma ne perdit pas de temps et se téléporta dans le bois. Le trajet pour les Veilleurs était nettement moins brutal que pour les Kadrac. Il se posa en douceur et se mit à voler en direction de la maison que son animal avait marquée.

Il passa sur la tache de sang et se trouva devant la porte du numéro six. Il se devait d'être le plus discret possible même si leurs lois les autorisaient à être vu de tous.

Dans ce cas précis, il fallait entrer dans une maison habitée, et les Veilleurs ne sont pas du genre à être très amical pour se faire inviter à l'intérieur. Leurs aspects repoussants et leur statut d'entité les empêchent d'agir de la sorte. Ils devaient ruser pour arriver à leur fin. Mais comme les Kadrac, ils ne sont pas à une victime près si le besoin s'en fait ressentir.

Il fit donc discrètement le tour de la maison pour se retrouver sous la fenêtre de la chambre de Lucas. Il s'éleva à nouveau dans les airs pour regarder à l'intérieur. Personne ne s'y trouvait, il essaya donc de pousser la fenêtre, mais celle-ci était fermée. Il se recula et leva ses bras pour en faire sortir un rayon qui alla directement sur les carreaux. Ceux-ci cédèrent au bout de quelques instants dans un bruit de verre peu discret. Il devait faire vite. Il entra en toute hâte et ne mit pas longtemps à repérer le coffret qu'il cherchait. Il dit une incantation pour l'enfermer dans un halo de lumière et ainsi en empêcher les âmes d'en sortir.

Il se saisit de la boîte au moment où la porte de la chambre s'ouvrit. John se retrouva face à lui et eut un bref mouvement de recul en le voyant.

Stygma leva à nouveau le bras et visa l'épaule de John qui se retrouva violemment plaqué au mur de l'escalier, avant de retomber dans celui-ci.

Le Veilleur s'empressa de repasser par la fenêtre pour se diriger vers la forêt où il était apparu.

Il fit apparaître la sphère bleue pour revenir à la Citadelle. Il se sentait soulagé d'avoir réussi sa mission aussi facilement. Il amena le coffret à Alastor.

— Très bien Stygma, je saurais te récompenser comme il se doit. Tu sais quoi en faire maintenant.

— Oui maître, elles ne s'échapperont plus, soyez-en sûr.

Il se retira et se rendit dans une salle un peu spéciale, celle de l'expiration. Il prit le coffret et l'ouvrit. Les âmes en sortirent et furent aspirées dans un conduit. En faisant ce geste, ils les avaient définitivement détruites.

Le puits de l'expiration était le seul moyen pour faire disparaître une âme. Elle était envoyée dans le néant le plus total, et dissoute.

Il regarda le coffret et vit les armoiries du chevalier d'Orcival. Il haussa les épaules et le posa près d'innombrables autres coffrets qui étaient entassés ici depuis une éternité.

*

Le chevalier d'Orcival venait d'apprendre, par le biais de Jasper, que le coffret, ainsi que les âmes qu'il contenait avaient été emportés par un Veilleur des Abîmes à la Citadelle de Clamor.

Il était fou de rage, car il cherchait un moyen de les faire fusionner avec Lucas malgré l'œil céleste qui était autour de son cou.

Il se matérialisa dans le bois près de l'entrée de celui-ci et vit qu'un trou s'était formé à cet endroit.

— C'est donc ça, pensa-t-il, ils ont envoyé un Kadrac pour traquer mes âmes. Joli travail ! mais c'est un travail inutile. Vous ne faites que retarder l'inévitable.

Il tourna un peu autour du lieu et aperçu dans un fourré, les restes d'une femme à moitié dévorée. Il se demanda pourquoi l'animal n'avait pas achevé son festin. Il se disait qu'il avait dû être rappelé avant d'avoir pu finir.

Il se mit à communiquer avec Jasper.

— Et comment va Lucas ?

— Bien, le rassura Jasper, il n'a rien vu par contre John a été blessé.

— Peu m'importe pour le père, il ne m'intéresse pas. Le principal c'est que l'enfant n'ait rien.

Pelham se sentit rassuré malgré la perte de ses âmes perdues qui auraient pu lui être utiles. Il retourna dans sa tombe à faire les cent pas, en attendant que Lucas évolue.

*

John était au bas de l'escalier, sans connaissance, Marie s'était précipitée près de lui en le voyant tomber. Elle appela aussitôt le docteur Fabri qui ne mit que quelques instants pour arriver.

Il fit un rapide diagnostic sur place avant de le mettre sur le canapé avec l'aide de Marie, sous les yeux inquiets de Lucas. Il remarqua sa chemise brûlée au niveau du bras et seulement une vilaine bosse à la tête. Sa brûlure au bras était plutôt bénigne. Il rassura Marie, mais lui demanda quand même ce qu'il s'était passé. Elle ne put répondre que partiellement.

— J'ai entendu un bruit de verre cassé, comme John est monté précipitamment pour voir ce qui s'était passé, je suis restée en bas avec Lucas. Un moment après, je l'ai vu dévaler les escaliers avec le bras fumant, c'est tout.

— Plus rien ne m'étonne, répondit le docteur, après ce que nous avons vécu au baptême, il faut s'attendre au pire désormais. Mais rassure-toi Marie, ses blessures sont vraiment superficielles. Regarde, voilà qu'il se réveille.

John mit un petit moment avant de recouvrer ses esprits et il put raconter ce qui s'était passé. Personne ne semblait plus surpris que cela. Un être décharné volant venu chercher un coffret en cassant un carreau allait devenir d'une banalité affligeante pour tous les habitants de ce village.

Chapitre 20

Aujourd'hui, en ce mois de septembre, une grande journée s'annonçait pour Lucas, celle de sa première rentrée scolaire.

Ses parents le réveillèrent de bonne heure pour le préparer. Ils avaient décidé de prendre une journée de repos pour son premier jour de classe. Ils voulaient absolument l'emmener ensemble à l'école. La veille, ils avaient proposé à Cécile d'aller le chercher et de le ramener à la maison. Elle s'était fait une joie d'accepter.

Lucas était fin prêt, ainsi que John et Marie. Ils quittèrent ensemble la maison et se dirigèrent vers l'église. L'école se trouvait juste à côté.

C'était une petite école de campagne avec une seule classe. Le nombre d'enfants dans le village ne permettait pas d'en avoir davantage.

Les cours étaient donnés par monsieur Roger Parco. C'était un homme d'une cinquantaine d'années et d'une grande classe. Il avait un bouc et portait des lunettes sur le bout de son nez. Sa calvitie naissante et ses cheveux presque blancs le laissaient paraître un peu plus âgé, mais son visage toujours jovial en faisait une personne très aimée de tous et particulièrement des enfants. Il exerçait ce métier depuis une trentaine d'années, et toujours avec la même passion qu'à ses débuts. Partager son savoir à tous ces enfants suffisait à son bonheur. Il était fier lorsqu'un de ses anciens élèves parvenait à décrocher une situation respectable dans la société. Il se disait qu'il y était un peu pour quelque chose, et cela le comblait de joie.

Tous les parents attendaient devant la grille de l'école qui était encore fermée. Robert et Charline Béraud étaient en grande discussion avec John et Marie. Lucas et Julien s'étaient retrouvés et s'amusaient ensemble un peu à l'écart. Ils s'entendaient de mieux en mieux. Leurs parents aimaient à dire qu'ils deviendraient sûrement les meilleurs amis du monde. Ils avaient le même âge, mais Lucas était beaucoup plus grand et trapu que Julien. Il grandissait anormalement vite, selon le docteur Fabri, mais cela ne l'inquiétait pas trop pour le moment.

Tout le monde dans le village avait appris ce qu'il s'était passé pendant le baptême et de nombreuses rumeurs circulaient à propos de Lucas. Personne n'avait vraiment vu de réaction anormale chez cet enfant, excepté ses parents pendant l'été.

Cependant, la plupart des villageois le dévisageaient régulièrement et chuchotaient à voix basse dans son dos. Ils n'osaient pas non plus regarder les Delson en face.

Cela indisposait beaucoup Marie qui se sentait un peu épiée et rejetée. Son mari lui répétait de ne pas s'en occuper. Pour le moment, il fallait considérer Lucas comme un petit garçon normal, qui allait faire sa rentrée scolaire comme tous les autres enfants.

Lucas lui aussi voyait le comportement des gens à son égard. Par moment, il s'arrêtait de jouer et regardait avec insistance chaque personne qui se trouvait devant lui. En général, ils avaient tous la même réaction, ils baissaient les yeux.

Le maître d'école arriva pour ouvrir les grilles. Il accueillit les parents et laissa les enfants entrer dans la cour pour jouer.

Il salua tout le monde en leur disant un petit mot. Il arriva près des Delson pour se présenter.

— Bonjour. Je suis monsieur Parco. Vous êtes les parents de Lucas ?

— En effet, répondirent-ils.

— Bien, je m'occuperai particulièrement de lui, ne vous en faites pas...

Marie le coupa sur un ton agacé :

— Ce n'est pas nécessaire, c'est un enfant comme les autres, il n'a pas besoin de traitement de faveur. Pourquoi voulez-vous le différencier de ses camarades ? Il a aussi sa place dans cette école, ce n'est pas un monstre...

Tout le monde s'était retourné en entendant Marie qui avait haussé le ton. John mit son bras autour d'elle en lui parlant.

— Calme-toi, ma chérie, il ne pensait pas à mal.

Puis il s'adressa au maître.

— Excusez-la, monsieur, elle est un peu surmenée en ce moment et tout ce que nous entendons autour de nous ne nous facilite pas les choses.

— C'est moi qui vous demande de me pardonner, je n'aurais pas dû dire cela. Il va de soi que Lucas sera traité comme les autres enfants, rassurez-vous.

Il fit un sourire à Marie qui le lui rendit et elle alla voir son fils dans la cour. Il regardait en direction de l'église. Lorsqu'il vit sa mère, il courut dans ses bras.

— Maman emmène-moi, je ne veux pas rester.

— Calme-toi, le rassura-t-elle en lui caressant la nuque, tu seras bien ici. Et puis il y a Julien avec toi, tu vas te faire plein de petits copains et tu vas apprendre beaucoup de choses que tu pourras nous raconter.

Lucas releva la tête

— Je sais déjà tout maman, il m'apprend tout.

Marie le serra contre sa poitrine en ayant les larmes aux yeux.

— Chut ! ne dis pas ça, mon chéri.

Elle resta un long moment ainsi, avant que John ne vienne la voir. Il s'agenouilla auprès d'elle et Lucas.

— Qu'y a-t-il, ma chérie ?

— Ce n'est rien, c'est simplement Lucas qui ne veut pas rester.

— Il faut que tu ailles à l'école Lucas, ajouta John. Tu vas être bien ici avec de nouveaux petits copains. Tu vas apprendre beaucoup de choses…

Il coupa son père et répéta la même phrase.

— Je sais déjà tout papa, il m'apprend tout.

John regarda Marie en lui prenant la main afin de la rassurer et de l'apaiser. Lucas les regarda sans vraiment comprendre ce qu'il se passait puis retourna avec Julien.

Ils le regardaient jouer en se tenant la main et en la serrant davantage pour ne pas pleurer. Les mâchoires crispées pour ne pas laisser couler leurs larmes, ils quittèrent la cour sans se retourner, les regards accusateurs des villageois sur leurs épaules.

Leur retour à la maison fut éprouvant. Pas un mot n'avait été échangé, pas un regard ne s'était croisé. Le silence était omniprésent, mais leurs mains ne s'étaient jamais lâchées, comme pour ne faire qu'un, face aux épreuves qui les attendaient.

Ils s'assirent à table autour d'un café et Marie entama la conversation.

— Je ne comprends pas l'attitude de tous ces gens. Pourquoi se montrent-ils si hostiles envers nous alors que rien ne s'est produit et qu'il ne se produira peut-être rien ?

John prit un air dépité.

— C'est malheureusement l'être humain qui est comme ça. Il a peur de l'inconnu et ce qui s'est passé au baptême n'arrange pas les choses. Cela peut se comprendre.

— Je sais, rétorqua Marie, mais le procès qu'ils sont en train de nous faire est injuste. J'espère que pour Lucas tout ira bien à l'école.

— Ne t'en fais pas, la rassura John, je pense que notre fils sera à la hauteur pour ne pas se laisser faire, même s'il n'est pas… Je ne sais pas comment dire.

— Comment dire quoi ?

— Eh bien ! il n'est pas seul dans son corps, il y a une partie de ce chevalier apparemment, ou c'est peut-être faux… enfin, je ne sais pas.

Marie se leva d'un bond.

— Il faut que nous le sachions. Viens, allons voir mamie Loulou.

— Maintenant ? tu es sûre ?

— Oui, allez, viens.

John n'insista pas, il savait que sa femme obtenait presque toujours ce qu'elle désirait. Marie le tira par la main pour l'emmener dehors en direction de la maison de Louise. Ils se rendirent au bout de la rue des noisetiers pour arriver sur la place du village. Ils tournèrent à gauche, passèrent devant la boulangerie où travaillait Marie, firent quelques mètres de plus et arrivèrent à destination.

La maison de mamie Loulou était très vieille et pas très bien entretenue. Seul John, Robert et parfois le quincaillier Bernard, venait de temps à autre faire quelques menus travaux de rénovation. Le reste du village, mis à part quelques-uns, n'appréciait pas vraiment madame Lougin. Ils savaient qu'elle était médium ou peut-être voyante. En réalité, ils ne savaient pas grand-chose sur elle.

Comme elle était différente et qu'ils ne comprenaient pas, ils ne l'aimaient pas. C'était un peu ce qu'il se passait avec la famille Delson.

Marie poussa le petit portillon en bois qui tenait encore par miracle. Ils entrèrent dans la petite cour où gisait une multitude de choses. Cela allait de l'outil de jardinage qui ne servait plus depuis longtemps, au tas d'épluchures de légumes dans un coin. Il y avait aussi de vieux journaux délavés par la pluie et un petit carré de terre où poussait un nombre incalculable d'herbes aromatiques. Il faut dire que le passe-temps favori de madame Lougin était de cuisiner. Elle pouvait vaquer à ses fourneaux des journées entières. Elle offrait ce qu'elle préparait à ceux qui en avaient besoin, ou qui lui venaient en aide.

C'est pour cela que John et Marie se retrouvaient fréquemment avec une succulente soupe cuisinée par ses soins.

Marie frappa à la porte défraîchie. Elle entendit des pas à l'intérieur s'approcher, et une voix tremblante s'élever.

— Qui est là ?

— C'est Marie et John, mamie.

La porte s'ouvrit lentement et laissa apparaître le sourire radieux de la vieille dame. Elle avait rarement de la visite. Veuve et sans enfants, elle s'était habituée à sa triste solitude, mais au fond de son regard gisait toujours la douleur d'un nourrisson emporté par la maladie. Ses seuls visiteurs réguliers se tenaient devant elle à cet instant. Elle les appréciait particulièrement et s'était beaucoup attachée à eux depuis leur arrivée voilà presque cinq ans. Elle aimait énormément Lucas. Il lui rappelait le fils qu'elle n'avait pas eu le temps de voir grandir et elle ferait tout pour lui venir en aide.

Elle les invita à entrer dans sa cuisine. Des meubles d'un autre âge habillaient des murs recouverts d'un vieux papier peint passé. Elle leur proposa de s'asseoir sur des chaises où la paille manquait par endroit, et leur offrit un café dans des verres jaunis par le temps. Elle déposa sur la table, une assiette ébréchée remplie de petits biscuits, qu'elle confectionnait elle-même dans sa vieille cuisinière à bois. Elle s'assit à son tour en accrochant sa canne à la poignée du buffet à ses côtés. Elle porta le verre de café à ses lèvres pour en boire une gorgée, et regarda ses invités sans rien dire.

L'atmosphère était pesante. Marie et John n'osaient rien dire. Mamie Loulou vit leur mal-être et entama la discussion.

— Je suppose que vous êtes venu me voir pour en savoir plus sur lui et votre fils.

John, dans un premier temps surpris, acquiesça.

— Oui et…

Louise continua sans écouter la suite.

— Je sais ce qui s'est passé chez vous il y a peu de temps et dans la rue également. La mystérieuse disparition de cette pauvre femme.

— Comment savez-vous ce qui s'est passé chez nous ? rétorqua Marie.

Mamie Loulou eut un sourire un peu moqueur.

— Je sais tout, ma petite, ils sont venus chez vous chercher une chose qui aurait pu servir à Pelham.

— Quelle chose demanda John ?

— Le coffret, mais cela ne vous concerne plus puisqu'il est parti. Quant à cette pauvre femme qui a disparu, cela aurait pu être l'un d'entre vous si vous étiez sorti à ce moment-là, ou même moi, qui sait ?

— Vous savez ce qu'elle est devenue ? interrogea Marie.

194

— Hélas ! oui ! c'est cet animal qui l'a emmenée et... Mais vous n'êtes pas venu ici pour ça, vous voulez savoir ce qu'il se passe vraiment avec votre garçon ?

— Oui acquiesça Marie, d'un air dépité. Si vous savez quelque chose ou si vous croyez que Lucas va avoir des ennuis, dites-le-nous, pour l'amour du ciel.

Louise ôta ses lunettes. Elle baissa la tête, se frotta les yeux, puis remit ses lunettes. Elle eut un regard de compassion pour eux.

— Il est vrai que Lucas a été choisi pour un dessein bien précis, et oui il y a quelque chose en lui. Le mal est en lui. Mais rassurez-vous, cela ne veut pas dire qu'il sera mauvais. Le chevalier que vous avez vu au baptême a mis ses pouvoirs en votre enfant, et cela a commencé devant le cimetière lorsque la foudre est tombée sur sa tombe. Mais malheureusement, il y a aussi mis une partie de son âme, c'est tout ce que je sais pour le moment.

Marie éclata en sanglots. John la prit dans ses bras. Lui aussi était en pleurs. Louise voyant cela ne put retenir ses larmes, mais se ressaisit rapidement pour essayer de les rassurer.

— Soyez courageux, tout ne sera pas forcément noir. Lucas est très fort. Il peut se battre contre ceci, et je pense qu'il a des alliés puissants. Quelqu'un le protège. L'œil céleste qu'il porte à son cou ne lui enlevez jamais. Il vient d'un autre temps.

John et Marie se levèrent lorsque Louise leur parla à nouveau.

— Restez un moment, je vous prie. Vous savez je ne vois personne ces jours-ci. Tout le monde me prend pour une vieille folle depuis que j'ai adressé la parole à ce chevalier. Pourtant je n'ai dit que la vérité, j'ai connu certaines personnes de cette famille qui ont habité la maison ou vous vivez. Croyez-moi, ce n'étaient pas des gens très respectables. Beaucoup de choses se sont produites dans cette demeure avant que vous en soyez les propriétaires. Je n'ai jamais pu avoir de relations amicales avec la famille d'Orcival d'aussi loin que je m'en souvienne. Mon défunt mari ne les aimait guère non plus. Bref, tout cela pour vous dire que l'avenir et très sombre pour tout le monde, peut-être un peu plus pour vous et surtout pour Lucas, mais je me dois de vous le dire. Vous verrez certainement des êtres dont vous ignoriez l'existence, des êtres maléfiques, ignobles, qui viennent directement du royaume des morts. Du moins d'une Citadelle qui se trouve entre ces deux mondes.

John prit la parole.

— C'est le genre de personne qui est rentré chez nous pour dérober le coffret, et qui m'a blessé seulement en levant sa main, sans aucune arme ?

— Exactement reprit Louise, ce genre de personne avec des pouvoirs incommensurables, et d'autres, comme celui qui a tué cette pauvre femme non loin de chez vous.

— Elle serait donc morte ? demanda Marie en plaçant ses mains devant sa bouche.

Louise essuya ses lunettes avant de répondre.

— Hélas ! je le crains, le genre de créature qui se trouvait face à elle n'a aucun scrupule, et aucune empathie. J'espère que nous pourrons lui offrir une sépulture digne de ce nom, si nous la retrouvons bien sûr.

Marie et John continuèrent cette conversation pendant encore un long moment, puis prirent congé de la vieille dame en lui promettant de revenir la voir plus souvent.

Ils regagnèrent leur maison avec la tête pleine de questions et de pensées pas forcément saines.

Mamie Loulou leur avait dit qu'il s'était passé beaucoup de choses dans cette maison, depuis des siècles.

196

Ils se sentaient plus mal à l'aise qu'à l'accoutumée. Leurs esprits s'imaginant les pires horreurs qui auraient pu se passer dans telle ou telle pièce.

Ils se mirent d'accord pour ne plus en parler pour le moment, afin de ne pas tomber dans un état de fabulation. Ils décidèrent de se changer les idées devant la télévision, pour profiter de leur dernier jour de congé. Surtout, ils attendaient avec impatience de pouvoir aller chercher Lucas à la sortie de l'école ce soir.

*

Lucas avait pris une place au fond de la classe lorsque le Maître, monsieur Parco, leur avait demandé de s'installer où ils voulaient. Julien était à une table devant lui.

Le début de journée se passa calmement, il était plutôt question de présentation et d'information sur les journées à venir. La classe était partagée en plusieurs parties. Les petits, dont Lucas et Julien faisaient partie, et ceux qui étaient déjà là depuis deux ou trois ans.

Lucas observait beaucoup ce qu'il se passait autour de lui et était très peu attentif au discours du Maître. Il est vrai que celui-ci était plutôt destiné aux grands.

Au bout d'un long moment, Lucas se leva pour aller voir par la fenêtre. Quelque chose semblait avoir attiré son regard. Monsieur Parco lui demanda de se rasseoir, mais il refusa et continua d'observer le cimetière que l'on voyait derrière l'église.

Le Maître insista, mais Lucas ne lui prêta aucune attention. Il s'approcha de lui pour le ramener gentiment à sa place en lui parlant.

— Jeune homme, il faut écouter ce que je vous dis, sinon nous n'allons pas partir sur de bonnes bases.

Lucas fixa le Maître, son regard était noir et pénétrant. Monsieur Parco dû baisser les yeux tant il était mal à l'aise. Lucas se releva et retourna devant la fenêtre. Ce coup-ci le Maître le laissa faire. Il pensa que ce n'était pas trop grave pour le moment, mais en fait le regard de Lucas l'avait réellement perturbé.

La cloche sonna midi. Les Delson avaient décidé de laisser leur fils à la cantine pour qu'il puisse s'habituer à ses petits camarades.

Il s'était installé à une table avec Julien et d'autres enfants un peu plus grands que lui.

La cantinière arriva avec un plat de pâtes qu'elle déposa sur la table pour les servir. Une fois fait, elle passa à la suivante.

Lucas commença à manger tandis que Julien se faisait un peu harceler par les plus grands. Ils s'amusèrent à lui mettre des pâtes dans son verre et lui prendre sa fourchette pour l'empêcher de manger. Julien se retourna et vit que la cantinière était partie. Il chercha de l'aide du regard, et croisa celui de Lucas. Julien se mit au fond de sa chaise et ne bougea plus. Il avait compris ce qui allait se passer.

— Arrêter prévint Lucas.

Les fauteurs de troubles n'écoutèrent même pas et continuèrent de l'importuner. Ils allèrent même plus loin en lui versant de l'eau dans ses pâtes pour en faire une sorte de bouillie peu appétissante.

— Ça suffit, prévint Lucas d'un ton plus sec.

Toujours aucune réaction de leur part. Ils riaient de plus belle et Julien commençait à avoir les larmes aux yeux.

Lucas le regarda. Quand il vit le désarroi de son ami, il tendit la main vers le couteau du plus hargneux. Celui-ci commença à bouger et à s'élever dans les airs au-dessus de sa main. Plus personne ne riait. Ils étaient figés en se demandant ce qu'il se passait. Les autres couteaux de la table s'élevèrent aussi à la même hauteur. Les enfants ne pouvaient plus se lever et s'enfuir. Lucas ne contrôlait pas seulement leurs couverts, ils les empêchaient de bouger. Il ne supportait pas que l'on s'en prenne à son ami, mais il ne se rendait pas encore compte de ce qu'il faisait. C'était le chevalier qui agissait à travers lui. Ses yeux devinrent noirs et il prit une voix d'adulte terrifiante.

— Misérables progénitures, vous ne méritez pas de vivre plus longtemps.

Soudain, la cantinière entra, Julien posa sa main sur le bras de Lucas qui reprit ses esprits. Les couteaux retombèrent sur la table en écorchant légèrement la main d'un des enfants qui se mit à pleurer.

Elle vint voir aussitôt ce qui se passait et vit la plupart des enfants blêmes et sans voix. Elle demanda des explications, mais aucun ne put ni ne voulut répondre. Elle emmena le jeune blessé pour lui mettre un pansement. Il revint quelques instants après. La fin du repas se passa dans le plus grand calme sans aucune provocation ou chamaillerie.

La journée se termina sans problèmes, les parents attendaient leurs enfants dans la cour de l'école. Monsieur Parco arriva près des Delson en tenant Lucas par la main.

— Voilà, sa première journée est finie, je n'irais pas vous dire qu'elle s'est magnifiquement bien passée, mais cela aurait pu être pire.

— Pourquoi donc demanda Marie ?

— Pour le moment, Lucas n'en fait qu'à sa tête et n'écoute pas du tout ce qu'on lui dit.

Lucas lâcha sèchement la main du maître pour se réfugier entre ses parents.

— Ensuite, il s'est passé quelque chose d'étrange ce midi à la cantine à la table de Lucas.

— Quel genre de choses interrogea John ?

— On ne sait pas vraiment, les élèves étaient plutôt apeurés en nous en parlant. Ils disaient que Lucas voulait les tuer, mais vous savez, ce sont des histoires d'enfants. Ils ont une imagination débordante.

Les parents de l'enfant blessé dévisageaient les Delson. Leur fils Édouard Pomant, leur avait raconté ce qu'avait fait Lucas.

Les autres personnes avaient écouté l'histoire et se rapprochèrent des Pomant pour en discuter. Les regards envers Lucas et ses parents étaient nombreux et de plus en plus acerbes. Seuls les Béraud avec Julien restaient à leurs côtés. Monsieur Parco se sentant mal à l'aise préféra rentrer dans sa classe.

John, Marie, et Lucas repartirent vers leur maison. Ce qu'ils redoutaient était en train de se produire. Des clans s'étaient formés. Ils se sentaient un peu plus seuls chaque jour.

Leurs amis d'autrefois se détournaient d'eux. Les rumeurs et la peur commençaient à noircir leur bonheur.

Chapitre 21

Quelques années s'étaient écoulées depuis la première rentrée des classes de Lucas. L'hiver mille neuf soixante-quinze avait été particulièrement rude. Un gel intense avait séquestré la nature et provoqué d'innombrables dégâts. L'année qui suivit fut plus clémente et la seule animation fut les quelques accrochages récurrents entre Lucas et Édouard Pomant, son meilleur ennemi.

Les deux années subséquentes furent étonnamment calmes. Au mois de novembre mille neuf cent soixante-dix-neuf, Lucas avait huit ans. Il était toujours le plus grand de sa classe, même plus grand que les élèves d'une dizaine d'années. Son visage avait beaucoup changé. Il ressemblait de plus en plus à sa mère. Ses traits étaient fins, mais habités d'un regard glacial. Peu de personnes le côtoyaient. Il n'avait que Julien pour ami. Ils étaient comme des frères et toujours inséparables. D'ailleurs, aucun des autres élèves n'osait plus les approcher. Lucas leur avait plus d'une fois fait comprendre qu'il était « spécial ».

Monsieur Parco, leur maître, avait appris à composer avec les sautes d'humeur de Lucas. Il ne l'envoyait plus s'asseoir lorsqu'il se déplaçait pour regarder par la fenêtre. Il intervenait simplement quand il constatait que cela allait trop loin entre lui et Édouard. Curieusement, Lucas l'écoutait. La plupart du temps, il percevait ces moments fragiles où tout risquait de dégénérer, mais malheureusement pas tout le temps.

À la veille des vacances d'été de cette année, un jeudi, les enfants étaient restés plus longtemps en récréation. Lucas et Julien s'étaient assis sur un muret qui ceignait le vieux chêne au milieu de la cour. Leur discussion avait l'air sérieuse pour leur âge. Lucas faisait de grands gestes pour expliquer certaines choses à son ami Julien qui l'écoutait attentivement. Plus loin, un petit groupe de filles jouaient à l'élastique tranquillement sous le préau. Les garçons quant à eux jouaient aux billes tout en se chamaillant. Édouard éleva brusquement la voix. Il était le chef de ce groupe de cinq élèves. Il jeta un œil sur les filles qui s'amusaient un peu plus loin, puis parlait à voix basse à ses amis. Ils se mirent tous à éclater de rire. Les filles les regardèrent à leur tour et se doutaient bien qu'ils préparaient un mauvais coup. Le petit groupe de garçons s'avança vers elles. Édouard leur confisqua l'élastique avec lequel elles jouaient et eut la mauvaise idée de les frapper sur les jambes. Elles se mirent toutes à courir, pourchassées par les garçons.

Ce petit manège dura quelques minutes lorsque Lucas se mit en travers de la route d'Édouard qui s'arrêta net. Il le regarda fixement dans les yeux, et lui attrapa la main dans laquelle il tenait l'élastique. Il serra de plus en plus fort la main d'Édouard jusqu'à ce qu'elle devienne exsangue. Dans les yeux de Lucas, il vit passer un bref éclair bleu aussitôt suivi d'un craquement. Hurlant de douleur Édouard s'agenouilla. Julien s'approcha aussitôt de son ami pour l'arrêter. Lucas détourna machinalement la tête et son regard redevint amical. Il desserra son emprise, mais le mal était fait. Le jeune garçon avait le poignet brisé. Le maître accourut en entendant des pleurs. Il vit Édouard se tordre de douleurs et le transporta aussitôt chez le docteur Fabri qui constata l'état pitoyable de sa main.

De retour à l'école, le maître voulut savoir ce qu'il s'était passé, mais ce fut peine perdue. Le jeune garçon était tombé. C'était la version de Lucas, suivi par les dires des filles.

Comment monsieur Parco aurait-il pu imaginer qu'un enfant de huit ans eut assez de force pour briser des os d'une seule main ?

L'incident était clos, car même Édouard n'avait rien dit au maître. La vérité il l'avait juste révélée à ses parents. Ceux-ci en avaient parlé ensuite aux autres parents qui détestaient de plus en plus Lucas et sa famille. Mais les Delson décidèrent de ne pas tenir compte de la haine que commençaient à leur porter leurs voisins. Ils se doutaient que des temps plus durs se profilaient déjà à l'horizon.

Cet incident n'était pas pour arranger les affaires de John et Marie qui devaient supporter les ragots des villageois. Malgré tous ces tracas, la vie continuait son cours. L'automne était plutôt beau cette année et même assez doux.

Un matin, John reçut un courrier en provenance des États-Unis. Les nouvelles n'étaient pas très bonnes et il en fit part à Marie.

— Ma chérie, j'ai reçu une lettre de ma mère. Elle dit que mon père ne va pas bien du tout.

— Je suis désolée de l'entendre, John. C'est encore son estomac ?

— Oui, toujours ce maudit cancer.

— Qu'allons-nous faire ?

— Ma mère a peur que la fin soit proche, nous devons y aller.

— Nous ne pouvons pas enlever Lucas de l'école. Vas-y toi, moi je resterai ici.

— Non, tu viens avec moi. Nous demanderons à Cécile si elle veut bien le garder pendant plusieurs jours. Je ne pense pas qu'elle refusera, elle adore Lucas.

Marie s'empressa de lui téléphoner. Elle lui expliqua la situation et sans surprise, Cécile proposa de le prendre chez elle avant que Marie ne le lui demande.

Le lendemain, John s'occupa des réservations pour le voyage, et prévint son patron ainsi que celui de sa femme de leur départ pour les États-Unis.

Quelques jours plus tard, tout était en ordre pour le voyage. Marie eut du mal à se séparer de Lucas, mais elle le savait entre de bonnes mains avec Cécile.

Les Béraud les avaient conduits à l'aéroport le matin de bonne heure. Leur avion décollait à onze heures et le temps d'enregistrer les bagages et les réservations, ils ne voulaient pas être pris de cours.

Ils s'installèrent dans l'avion, avec l'appréhension que tout le monde pourrait avoir. Le temps n'était pas bienveillant en ce mois de novembre et les orages étaient assez réguliers ces jours-ci.

Leur avion décolla enfin, avec toutes les annonces d'usages du commandant de bord et des hôtesses de l'air. Ils quittèrent le sol à onze heures dix précisément.

Leur vol devait durer près de quatre heures jusqu'à New York, d'où ils prendraient une correspondance pour Saint-Paul dans le Minnesota.

Tout se passa bien dans l'appareil, ils volaient au-dessus de l'Atlantique.

Le commandant leur annonça quelques secousses à venir. Une grosse perturbation orageuse bouchait l'horizon.

Les hôtesses rassurèrent tout le monde en leur affirmant que cela arrivait très souvent et qu'il ne fallait pas s'inquiéter. Le commandant les rassura à son tour en leur expliquant qu'ils allaient légèrement dévier de leur route pour éviter le plus gros du mauvais temps.

Les premières secousses se firent sentir rapidement et tous les passagers s'attachèrent sur les conseils des hôtesses.

La carlingue de l'avion commença à bouger en faisant un bruit peu rassurant. La grêle heurtait violemment les hublots, ce qui accentua le sentiment de peur qui étreignait les passagers.

Marie et John se tenaient par la main en se regardant régulièrement pour se rassurer. Ils étaient crispés sur leur siège, tant l'avion vibrait sous les assauts des éléments.

Puis brusquement, les tremblements se firent plus violents et l'avion piqua du nez.

Ceci déclencha la tombée des masques à oxygène et en même temps la panique de tous.

L'appareil filait tel un bolide vers le sol, et les passagers ne purent s'emparer des masques. Ils étaient écrasés sur leurs sièges. Certains s'évanouirent brièvement comme John et Marie.

Pendant ce court laps de temps qui leur parut une éternité, les Delson se retrouvèrent dans un lieu qui leur était inconnu. Ils étaient debout sans pouvoir bouger tandis que leurs corps étaient toujours attachés sur leur siège.

Une apparition s'avança vers eux, accompagnée d'autres êtres qu'on ne pourrait pas qualifier d'humains.

Elle leur parla d'une voie profonde.

— Je suis Alastor, seigneur de la Citadelle de Clamor, et voici mes Veilleurs des Abîmes. Je vois dans vos yeux que vous vous posez beaucoup de questions, rassurez-vous, vous êtes encore en vie. Vous ne me connaissez pas, mais vous devez connaître le chevalier Pelham d'Orcival.

Ils virent tour à tour les visages du chevalier tel qu'ils l'avaient vu à l'église, puis le père Abel, et enfin leur fils.

Marie se mit à crier.

— Lucas !

— Calmez-vous, les tranquillisa Alastor, ce ne sont que des images de vos esprits. J'essaie de vous avertir. Pendant ce moment où vous frôlez la mort, c'est le seul instant où nous pouvons communiquer. Veillez sur Lucas, forcez-le à aller sur le bon chemin, votre amour peut vous y aider. Le chevalier se servira de la haine de tout le monde pour arriver à ses fins. Lucas est puissant et il le deviendra encore davantage. Vous devez…

Les bruits de la carlingue étaient si fort que John et Marie revinrent à eux. Ils avaient leurs masques sur la bouche et l'avion avait retrouvé une trajectoire normale.

Tout doucement, le calme revint dans l'appareil. Une hôtesse vint les voir en leur demandant si tout allait bien. Ils se regardèrent et hochèrent la tête pour acquiescer.

— Que s'est-il passé, demanda John à une hôtesse ?

— Vous avez perdu connaissance quelques secondes, car vous n'arriviez pas à attraper les masques. Je les ai donc mis sur vous.

— Merci beaucoup. Quelques secondes ? interrogea Marie étonnée.

— Oui guère plus, lui assura l'hôtesse avant d'aller voir les autres passagers

John regarda sa femme. Ils se demandaient s'ils avaient rêvé, mais cela était impossible puisque leurs souvenirs étaient identiques. Ils avaient bien été un court instant à la Citadelle de Clamor.

Arrivés à New York, ils décidèrent de récupérer un peu, avant de prendre la correspondance pour Saint-Paul.

Ils s'installèrent à une table de café pour se restaurer et parler un peu de ce qu'ils avaient vu. Aucun d'entre eux ne comprenait ce qu'ils avaient fait là-bas durant leur évanouissement. Marie commença à s'inquiéter pour Lucas, mais son mari essaya de la rassurer comme il le pouvait. Un tendre baiser fit l'affaire sur le moment.

Ils furent appelés pour la suite de leur voyage. Une légère panique les saisit avant de monter dans l'appareil. Les hôtesses les rassurèrent, car elles savaient ce qui s'était passé dans le vol précédent. Celui-ci se passa sans encombre et ils arrivèrent vite chez les parents de John.

*

Cécile de Vallerand était partie chercher Lucas à l'école pour le ramener au manoir. C'était sa première journée sans ses parents. Il le vivait plutôt bien. Son caractère fort l'aidait beaucoup à se préserver.

Cécile attendit devant la grille avec les autres parents. Elle était seule de son côté, car personne ne voulait la côtoyer puisqu'elle s'occupait de Lucas. Seuls les Béraud qui ne comprenaient pas l'attitude du reste du village restaient amicaux. Charline lui adressa la parole.

— Alors ! première nuit chez vous pour Lucas ? J'espère que tout ira bien.

— Oui affirma Cécile, ne vous en faites pas, Lucas sera bien.

— Je n'en doute pas un seul instant. Elle tourna la tête en direction des autres parents avant de reprendre.

— Regardez ! on dirait une bande de vautours prêts à fondre sur leur proie.

Cécile acquiesça.

— En effet. Ce n'est qu'un enfant, comment peut-on avoir autant de haine en soi ?

Il n'y eut pas de réponse. La cloche retentit et les enfants commencèrent à sortir. Lucas était le dernier avec Julien, toujours en pleine discussion et personne n'était capable de savoir de quoi ils parlaient aussi souvent.

Lucas arriva près de Cécile avec un énorme sourire éclairant son visage.

Les Béraud prirent congé de la nourrice qui prit le chemin du manoir avec son nouvel hôte.

Ils pénétrèrent dans la forêt en discutant de l'école. Lucas était très discret à ce sujet. Ce n'était pas sa grande passion. Ils passèrent sur l'ancien trou par où était arrivé le Kadrac de Stygma.

Lucas s'arrêta à cet endroit précis, regarda ses pieds, la terre retournée, mais séchée. Il lâcha la main de Cécile, tourna sa tête vers la droite et marcha dans cette direction.

Sa nourrice le laissa faire en le suivant d'assez près. Il progressa difficilement dans la végétation dense et stoppa net en regardant vers le bas.

Cécile arriva à sa hauteur et suivit la direction du regard de Lucas. Ses yeux se posèrent sur des restes humains, un corps sectionné au niveau de la taille. Un bras gisait un peu plus loin. Du sang séché maculait le feuillage alentour, ce qui faisait penser à un acharnement effroyable sur la victime. L'odeur était difficilement supportable. Cécile eut la nausée devant ce funeste spectacle et se recula. Lucas la regarda et voyant qu'elle n'était pas bien il fit demi-tour pour revenir avec elle sur le sentier. Cécile était accroupie pour récupérer. Lucas lui caressa les cheveux pour la rassurer. Elle se dit que c'était le monde à l'envers, n'importe quel enfant aurait difficilement supporté cette scène sans crier ou pleurer. Mais lui, il restait stoïque, ce jeune garçon de huit ans ne connaissait pas la peur ni le dégoût pour une telle découverte. Une partie de son âme avait malheureusement vu des choses pires que cela. Les souvenirs de Pelham étaient aussi en lui.

Une fois qu'elle se sentit mieux, Cécile alla prévenir le père Abel. Il vint voir avec quelques hommes du village l'horrible découverte. Il promit à Cécile qu'il allait s'occuper d'elle pour lui donner une sépulture convenable dans le cimetière. Ils emportèrent les restes chez le Docteur Fabri, pour pouvoir s'en occuper dignement et la mettre en terre le plus rapidement possible.

Cécile et Lucas repartirent en direction du manoir. Leurs pas se firent plus pressants. Elle n'avait aucune envie de traîner dans cette forêt alors que la nuit commençait à tomber.

Arrivé devant le portail, Lucas refusa d'entrer dans le manoir. Il recula de quelques pas et s'assit par terre sans bouger.

Cécile s'efforça de le décider à bouger, mais rien n'y fit. Elle pensa que c'était la partie de Pelham qui avait reconnu l'endroit. Elle réitéra sa demande.

— Tu es sûr de ne pas vouloir rentrer ? Il commence à faire froid, tu sais. Allez ! viens !

La réponse de Lucas fut lapidaire.

— Non !

Cécile était désespérée. En acceptant de le garder, elle n'avait pas songé à ce détail. Pelham était en partie dans le corps de Lucas, et tout ce qui concernait les Vallerand, lui posait un problème.

Elle décida d'appeler Romaric à sa rescousse.

Il arriva et Lucas se leva aussitôt. Son regard se fit plus noir que la nuit. Des lueurs bleues commencèrent à apparaître, sa voix mua, ce n'était plus celle d'un enfant.

— Toi ! tu es donc encore ici ? C'est de ta faute si j'en suis réduit à me servir de cet enfant. Comment es-tu encore de ce monde ?

Romaric fut d'abord déstabilisé. Lucas parlait, mais c'était son ancien élève qui hantait ses mots. Il lui répondit après une courte hésitation.

— J'ai eu le choix de rester ici, mais toi tu n'as aucun autre choix que de réparer tes erreurs pour avoir droit au repos éternel. Ne fais pas autre chose que ce qui t'est demandé. Ensuite, tu laisseras cet enfant vivre normalement.

Lucas tomba à terre. Cécile se précipita vers lui quand le chevalier d'Orcival apparut à ses côtés.

— Ne t'en fais pas misérable femme, il va bien. Je devais me montrer tel que je suis face à ce traître de Vallerand. Tu crois encore pouvoir me donner des ordres ? Je fais de cet enfant ce que je veux. La paix de mon âme ne m'intéresse plus. Il va grandir et être plus fort que moi, j'attends ce jour avec impatience.

Cécile prit Lucas dans ses bras et l'éloigna des deux entités.

— Je t'ai tout appris, je connais tes limites, je pourrais aider Lucas.

— Tu oublies quelques petites choses, rétorqua le chevalier. Tu es mort, comment pourrais-tu l'aider ? Ensuite, qui dans ce village serait assez fou et assez puissant pour se mettre en travers de ma route ? Personne. Il n'y a plus de sorciers, plus de magiciens, ce temps est révolu. Avec votre malédiction, vous m'avez offert la seule chance de pouvoir continuer ma route. Certes, j'ai attendu, mais cela en valait la peine, tu ne trouves pas ?

Romaric ne sut quoi répondre. Pelham avait raison, malgré tout il essaya toujours de le faire douter.

— Il y a sûrement quelqu'un qui t'arrêtera comme par le passé. L'histoire se répétera, j'en suis certain, et cette fois-ci ce sera définitif.

— Tu arrives à me faire sourire. Au fait, comment dois-je t'appeler ? maître ? seigneur ? Non ! rien de tout ça. Tu n'es plus rien depuis le jour où tu m'as piégé et enfermé dans cette maison. En revanche, désolé de te décevoir, mais avec Lucas, nous irons au bout de mes projets. Il sera tellement puissant. Mes pouvoirs en lui grandissent de jour en jour.

Romaric tenta une autre piste.

— Tu oublies la Citadelle de Clamor.

— Ah ! ah ! décidément, je ne te croyais pas aussi drôle. La fameuse Citadelle. Tous des ringards. Ils sont seulement bons à envoyer leurs toutous manger des êtres humains sans défense. Quel courage ! Bon, j'en ai assez entendu pour ce soir, mais je refuse d'entrer dans une maison de traître et Lucas n'y entrera donc pas, sachez-le.

Pelham d'Orcival disparut instantanément et Lucas se réveilla dans les bras de Cécile. Il se remit debout devant Romaric. Il leva la tête pour lui sourire et il en fit de même pour Cécile avant de commencer à marcher en direction du lac. Romaric était désemparé. Il ne put rien dire et repartit au manoir.

Cécile suivait Lucas en lui demandant où il allait.

Le garçon lui montra du doigt un endroit de l'autre côté du lac.

— Là-bas, j'ai… Il avait une grotte pour se cacher quand son père voulait le battre.

— Le battre ! pourquoi ? demanda Cécile.

Lucas s'arrêta et la regarda.

— Je ne sais pas. Il me cache des trucs.

Il reprit sa route dans la nuit. Cécile était effrayée par tous les bruits environnants, mais ne le lâcha pas d'un pouce.

Ils arrivèrent après quelques minutes de marche silencieuse. Lucas lui montra l'endroit.

— Tu es sûr ? On ne voit rien, lui fit remarquer Cécile.

Lucas tendit le bras et une forte lumière jaillit de sa paume.

— Maintenant, on y voit. Je vais dormir dans ce coin, tu peux repartir si tu veux.

Cécile en avait la responsabilité et elle ne voulut pas le laisser seul.

— Non ! je reste aussi, mais il faudra trouver une autre solution pour demain.

— On dormira chez papa et maman, ils t'ont laissé la clef.

— D'accord, murmura-t-elle. Pourquoi n'y ai-je pas pensé plus tôt ?

Ils entrèrent dans la grotte jonchée de petits ossements. Cécile installa quelques branchages au fond en guise de paillasse. Lucas avait allumé un feu avec sa main, devant l'entrée, pour effrayer les animaux qui voudraient s'y aventurer, et réchauffer la grotte.

Lucas se coucha en disant à Cécile qu'il la protégerait. Elle sourit en s'asseyant à côté de lui. Elle regarda le feu et les volutes de fumées qu'il dégageait en pensant à ce petit garçon de huit ans plein de courage. Elle savait aussi que le mal était en lui. Elle lui caressa les cheveux en se demandant comment ce petit bout d'homme pouvait tenir tête à ce chevalier.

Elle se disait que tant que Lucas se battrait contre lui-même, son village avait une chance d'exister encore pendant longtemps.

Chapitre 22

Romaric était prostré dans son laboratoire.

— Cela recommence, pensa-t-il, je n'ai rien pu dire à cet enfant comme par le passé avec Pelham. Pourtant je ne dois pas faire deux fois la même erreur. Que faire mon Dieu, Lucas n'est qu'un pion sur un échiquier, du moins c'est la pièce principale de ce jeu funeste. Comment se débarrasser de ce chevalier sans que la vie de l'enfant soit en danger ?

Il fit le tour de la pièce plusieurs fois, nerveusement, et s'arrêta devant la fenêtre.

— Où sont Lucas et Cécile ? Je les ai vus partir vers le lac, je devrais aller voir ça de plus près.

Il sortit et avança au bord de l'eau, il aperçut au loin les flammes d'un feu de camp. Il avait compris où ils étaient allés, dans la grotte où Pelham se réfugiait fréquemment lorsqu'il était enfant. Du moins pour fuir son père le plus souvent, pour éviter de prendre une correction sans raison apparente.

Romaric se souvint d'un soir de l'année mille quatre cent quarante-neuf, où peut-être plus, sa mémoire n'était plus aussi infaillible qu'avant. En tout cas, Pelham devait avoir l'âge de Lucas aujourd'hui. Il n'était pas chez lui. Il n'y avait que sa mère, dans l'actuelle maison des Delson. Nhéos, son père, arrivait de son travail, en compagnie du sorcier, pour étudier les plans de son futur Manoir.

Nhéos était un travailleur très assidu et reconnu comme tel dans toute la région. Les plus grands noms de cette époque s'adressaient à lui pour construire leur château, leur manoir, ou simplement leur maison.

Romaric de Vallerand l'avait d'ailleurs choisi pour les mêmes raisons.

Mais Nhéos pouvait très facilement s'énerver après son fils ou même sa femme, spécialement lorsqu'il rentrait ivre, comme ce fut le cas très régulièrement.

Ce soir-là, il n'avait pas encore bu, il voulait rester sobre pour parler affaires avec Romaric. Il déroula un plan devant lui.

— Voilà ce que je vous propose seigneur Vallerand, pour la somme dont nous avons convenu.

Le sorcier regarda attentivement ce que lui proposait Nhéos. Au bout d'un certain temps et de nombreuses questions, il lui serra la main en guise d'accord.

Nhéos dit à sa femme d'apporter à boire pour fêter cet événement. Elle s'exécuta et apporta deux gobelets en bois avec une cruche de vin.

Nhéos prit le pichet et le brisa en le jetant contre le mur.

— Qu'as-tu donc dans la tête femme, va nous chercher un breuvage digne de notre hôte, et n'oublie pas de nettoyer tout ceci.

Elle partit dans la pièce d'à côté et revint avec un broc d'hypocras, ce succulent vin sucré au doux goût de miel. Elle posa le tout sur la table et alla ramasser les débris qui se trouvaient le long du mur.

Romaric avait assisté à la scène, un peu gêné, mais n'osait rien dire à ce sujet.

Il prit son gobelet et trinqua avec son hôte à leur accord pour la construction du manoir Vallerand. Nhéos invectiva une fois de plus son épouse.

— Femme, où est Pelham ?

— Je ne sais pas chuchota-t-elle la peur au ventre, sûrement dehors avec ses amis.

Nhéos s'approcha d'elle en la prenant par le bras.

— Tu sais très bien que je veux qu'il soit ici quand je rentre. Sa femme se débattait.

— Arrête Nhéos tu me fais mal au bras.

Il lui administra une terrible gifle qui la fit s'écrouler contre le mur, elle avait la pommette en sang. Romaric vint près d'elle pour la relever, elle lui chuchota quelques mots.

— Non, seigneur Vallerand, n'en faites rien, laissez-moi ou ce sera pire, je vous en prie.

Il reprit son gobelet, le but d'un trait et sortit de cette maison. Il croisa Pelham dans la ruelle, sans savoir qui il était.

Le garçon rentra chez lui, et une fois de plus vit son père assis à la table, et sa mère en train de se relever et d'essuyer le sang qui était sur son visage.

Nhéos le vit.

— Où étais-tu toi ?

— Je jouais dehors, père.

— Je t'ai déjà dit d'être ici quand je rentre tu dois aider ta mère cette bonne à rien.

— J'ai été retardé près du lac…

— Je ne veux pas le savoir et arrête de me répondre.

Il se leva, attrapa son fils par les cheveux et le lança contre la porte de sa chambre. Il ouvrit celle-ci, reprit son fils par le cou et le balança contre un meuble en hurlant.

— Reste ici jusqu'à demain, tu ne mangeras rien.

Il claqua la porte derrière lui et la ferma avec la clef qu'il mit dans sa poche. Sa femme essaya de le faire changer d'avis. Elle eut comme seule réponse un nouveau revers de main sur la figure, ce qui la fit chuter lourdement sur le sol.

Nhéos, lui, retourna s'enivrer d'hypocras sans se soucier de quoi que ce soit.

Romaric était en face de la maison, il s'était assis sur le muret du cimetière et avait assisté à toute la scène par la fenêtre. Il se leva en secouant la tête, il savait désormais à quel genre de personne il avait à faire.

Cette soirée, il s'en était toujours souvenu et elle lui était revenue en mémoire en voyant cette grotte illuminée. Il savait que Cécile ne courait aucun danger, mais il s'inquiétait du changement d'humeur de Lucas. Il l'avait vu de ses propres yeux il y a quelques instants. Il retourna dans son laboratoire, toujours à la recherche d'une solution pour éliminer définitivement ce chevalier. Il était toujours plein d'espoir et croyait beaucoup à la force de Lucas et à sa résistance face à Pelham. Surtout d'ici quelques années, pour le moment il était encore trop jeune et trop vulnérable.

*

Le chevalier d'Orcival profita de l'absence de la famille Delson pour aller faire un tour dans son ancienne demeure. Il apparut en plein milieu du salon et demanda à ses hommes de se montrer. Un à un, des spectres apparaissaient dans la même pièce, ils formaient un cercle autour de Pelham. Cela faisait longtemps que le groupe des treize ne s'était pas reformé.

Le chevalier se promenait dans toutes les pièces, il se remémorait certainement beaucoup de choses ici. La maison ne ressemblait plus beaucoup à ce qu'elle avait été il y a cinq cents ans de cela. Un étage avait été rajouté pour y faire des chambres. À son époque, il n'y avait que le bas qui était aménagé. Seulement trois ou quatre pièces et la cave où étaient entreposées les victuailles de la famille et surtout l'alcool de son père. Il resta un moment devant la porte de ce qui est aujourd'hui un bureau. C'était ce qui lui servait de chambre. C'est là qu'étaient ses souvenirs les plus douloureux. Pour lui c'était plus une prison, qu'un lieu adoré par les enfants pour y jouer.

Il retourna au milieu du cercle et les regarda tous un par un.

— Vous souvenez vous mes amis de ces jours merveilleux où nous étions les maîtres de ce village et de ses environs ? Que de maisons brûlées, de gens tués, de femmes violées, d'enfants égorgés ! Ce temps me manque mes amis, mais ce ne sera plus comme avant. Nous ne sommes plus en vie, mais faisons de Lucas notre meneur, nous pourrons faire de lui tout ce que nous voulons.

— Tu en es sur ? demanda Jasper.

— Oui, j'ai une partie de moi en lui, ne l'oublie pas. Tout à l'heure, j'ai réussi à l'empêcher d'aller chez les Vallerand, il résiste un peu mais il sera bientôt totalement à ma merci.

Jasper Gavyne semblait perplexe.

— Je l'ai observé depuis ces huit dernières années, il me semble qu'il sera fort. Il pourra peut-être même aller contre ta volonté tu ne crois pas ?

— Je sais, il a quelque chose en lui de spécial, il me posera certainement plus de problèmes que je ne le pensais. Mais à la longue, ne vous inquiétez pas, mes pouvoirs en lui l'auront dévoré et en auront fait un être d'une puissance phénoménale.

Cela prendra du temps, ou peut-être pas, il commence déjà à bien se servir de certains pouvoirs.

— As-tu remarqué qu'il avait de l'empathie pour les autres, demanda Jasper ? Il défend les plus faibles avec tes pouvoirs, pourtant ce n'était pas ton cas.

— J'ai remarqué, pour certains cas, c'est moi qui agissais à sa place, pour d'autres, c'était bien lui. Son ami pourra être gênant à force, il faudra aviser le moment venu. Il parle beaucoup trop avec lui. D'ailleurs, je n'arrive pas à savoir de quoi, il arrive à s'isoler de moi par moment. Je ne sais pas si c'est volontaire ou non, je le saurais plus tard.

En attendant, je pense qu'il est inutile que vous restiez ici, retournez…

Un de ses hommes le coupa.

— Vers nos cercueils que tu as brisés ?

Pelham se détourna vers lui.

— Comment oses-tu m'interrompre ? Il y a cinq siècles de cela, je t'aurai tranché la tête sur le champ pour cet affront.

— Pourtant, c'est la vérité surenchérit un autre.

— Oui, tu nous as trahit rajouta un troisième.

Les douze se mirent à parler en même temps, Pelham ne sut plus quoi faire pendant un cours instant puis repris son statut de chef.

— Silence ! hurla-t-il, de quel droit osez-vous. J'ai détruit vos cercueils en effet. Vous vouliez le repos éternel ?

Le groupe répondit oui d'une seule et même voix. Le chevalier d'Orcival baissa la tête avant de parler.

— Certes, j'ai certainement fait une erreur, je n'ai pensé qu'à moi, je ne voulais pas du repos éternel, je veux reprendre là où on nous a arrêtés. Je pensais que vous aussi, mais malheureusement vous n'avez plus le choix, vous devez me faire confiance à nouveau.

Jasper prit la parole.

— Nous te suivrons une fois de plus Pelham, mais ne t'attends pas à ce que nous soyons d'accord avec tout ce que tu voudras entreprendre. Nous devrons tous agir comme une seule et même personne. Notre confiance ne sera plus aveugle comme autrefois. Certes, nous n'aurons pas le repos éternel, mais nous pouvons partir dans d'autres régions, hanter d'autres lieux et te laisser seul ici. Ne l'oublie pas Pelham.

Le chevalier hocha la tête et descendit dans la cave en laissant ses comparses discuter entre eux.

Il arriva en bas en repensant à ce que leur avaient dit ses hommes.

— Pensez ce que vous voulez, vous me suivrez comme d'habitude. Le temps passé à la Citadelle vous a ramolli, mais bientôt vous ressentirez à nouveau l'envie de voir la mort à son œuvre, c'est en vous.

Il arriva devant le mur avec l'empreinte de main. Il savait que c'est dans cet endroit, derrière cette cloison que Lucas allait apprendre tout ce dont il aura besoin.

Il ouvrit le passage en levant la main, le déplacement du mur fit trembler toute la maison.

Il s'avança et les flambeaux s'allumèrent les uns après les autres. Il inspecta les ouvrages disposés dans les bibliothèques.

Ce lieu, il l'avait construit lui-même, avec l'aide de son père. Il avait hérité de la maison de ses parents et hébergé son père pendant un moment. Sa mère étant morte bien plus jeune, sous les coups de son mari.

Il l'avait recueilli plus par pitié que par bonté d'âme. La mort de sa mère l'avait anéanti, il s'était toujours demandé comment il avait fait pour ne pas tuer son père de ses propres mains ce jour-là.

Ceci dit, il le fit un peu plus tard. Lors du décès de sa mère, il devait avoir huit ou neuf ans, il s'était juré de la venger en la pleurant. Arrivé à ses vingt ans, juste après s'être fait adouber, il rentra chez lui, fier d'être devenu un chevalier de la cour du Roi Héribert de Floxel.

Il trouva son père assis à sa table, le teint terne. Il ressemblait à un vieillard malgré ses quarante-cinq ans. Il ne travaillait plus, il ne tenait presque plus debout. Il était ivre du matin au soir depuis la mort de sa femme, pour lui c'était un accident. Mais pour Pelham, la réalité était tout autre, il avait assisté, impuissant, au meurtre de sa mère.

Nhéos l'avait roué de coups une fois de plus à cause de son service qu'il jugea mauvais. Il s'était acharné sur sa pauvre femme, d'abord avec les mains puis avec une chaise qu'il avait brisée plusieurs fois sur elle. Et pour finir une pluie de coups de pied extrêmement violents au niveau du ventre. Tout cela sous les yeux de son fils, en pleurs, caché sous la table de la cuisine.

Il s'arrêta de frapper lorsqu'il n'entendit plus aucun cri. Il se mit à pleurer. Dans un moment de lucidité, il venait de se rendre compte qu'il venait de tuer sa femme de ses propres mains.

Cette scène horrible était gravée dans la mémoire de Pelham jusqu'à ce jour où il vit son père se lever pour le féliciter.

— Te voilà enfin chevalier mon garçon, je suis fier de toi.

Il tituba et se rattrapa à la table.

— Inutile d'être fier de moi ! le méprisa Pelham, tu n'es qu'un déchet. Maman aurait été fière de moi, si tu ne l'avais pas tuée.

— Ne dit pas ça, c'était un accident, tu le sais.

— Ne me mens pas, j'ai tout vu.

Il agrippa son père par le bras et le poussa vers la cuisine sans aucun effort. Pelham avait une stature et une force impressionnante.

— J'étais sous cette table, j'ai assisté à son massacre, sans pouvoir rien faire. Mais je vais réparer cette erreur, je ne suis plus un enfant peureux, non tu ne me fais plus peur.

Son père se mit à pleurer en s'asseyant par terre.

— Debout, hurla Pelham, conduis-toi en homme au moins une fois dans ta vie. Qu'est-ce que tu attends, vas-y, frappe-moi comme quand j'étais jeune. Quoi, tu as peur ? Toi ! évidemment, face à un homme tu n'es rien. Va en enfer.

Le chevalier d'Orcival dégaina son épée et d'un coup violent, lui trancha la tête qui se mit à rouler à terre. Il entra dans une fureur noire, il lui coupa les membres un à un et planta son arme en plein cœur du tronc de son père.

Il ressentait une béatitude profonde en tenant toujours le pommeau de son épée entre ses mains, il eut une pensée pour sa mère. Il venait de tenir sa promesse.

Il enterra ensuite les restes dans la cave, il fit un trou entre les bibliothèques, jeta ses restes dedans, et recouvrit le tout de pierres et d'une planche. Aucun signe religieux, rien qui ne signifie qu'une tombe est à cet endroit. Il ne voulait aucune sépulture pour cet homme qu'il avait du mal à appeler « son père ».

Ces compagnons d'armes avaient terminé de discuter dans le salon et vinrent le rejoindre à la cave. Ils connaissaient bien cet endroit. Ils virent Pelham observer le sol, Jasper lui demanda.

— Que regardes-tu ?

— Mon… oui, mon père est là-dessous depuis cinq siècles, c'est moi qui l'y ai mis. Je l'ai tué et enterré ici. Allez me chercher un sac en toile.

On lui en donna un qui se trouvait dans la cave. Il tendit sa main et le ciment commençait à se craqueler, puis à se détacher du sol. La planche se souleva, ainsi que la terre et les pierres. Tout le monde vit un tas d'ossements presque intact.

— J'avais fait ce qu'il faut pour qu'ils se conservent, avoua Pelham, mettez-les tous dans le sac et rebouchez le trou, il ne faut rien remarquer.

Ils s'exécutèrent et donnèrent le sac avec les restes de Nhéos à Pelham.

Le chevalier referma le passage et repartit avec ses douze compagnons vers leurs caveaux.

Une fois sur place, Jasper lui posa une question.

— Que vas-tu faire des reliques de ton père ?

Pelham ne répondit pas tout de suite, il se dirigea vers son trône. Une figure géométrique était dessinée sur le sol.

Il renversa le sac, un tas d'os se trouvait devant lui.

— Je vais le rappeler, avoua-t-il.

Tout le monde resta sans voix.

— Comment est-ce possible s'enquiert l'un d'eux ?

— J'étais un grand sorcier ne l'oubliez pas, je l'ai envoyé en enfer mais je peux l'en faire revenir, il sera d'autant plus puissant après un si long séjour dans cet endroit.

Il commença à disposer les os dans le cercle au sol. Il les installa de telle sorte à reconstituer le squelette d'un homme.

— Donnez-moi chacun un morceau de votre surcot.

Il reçut douze lambeaux de tissus et ajouta le sien.

Il les posa à différents endroits du squelette reconstitué, le sien il le plaça au niveau du cœur, là où son arme avait été plantée.

Il mit aussi un peu de terre et commença à dire une incantation incompréhensible pour les autres.

Cela dura un long moment, plusieurs minutes avant que quelque chose ne se produise.

Le sol commença à trembler, de plus en plus, une fissure apparaissait sous les ossements.

Elle se fit de plus en plus large, au point d'engloutir le squelette avec la terre et les morceaux de tissus. Puis elle se referma et il n'y eut plus un bruit.

Quelques instants après, un être de feu se dressait devant eux. Il finissait de se consumer dans des cris assez insupportables. Les flammes disparurent et une entité fumante, habillée comme les autres, se tenait debout face au chevalier d'Orcival.

Ils s'observèrent tous les deux, il n'y avait plus aucun lien familial entre eux.

— Je suis Nhéos d'Orcival, je reviens des enfers pour vous servir, maître.

— Très bien, je suis Pelham, de grandes choses t'attendent ici avec moi et tes camarades.

Le chevalier d'Orcival jubilait au fond de lui. Son père était devenu son suppôt, il allait pouvoir se servir de lui comme il allait le faire avec Lucas. Il repensa à sa mère un court instant, à sa mort et à la promesse qui lui avait faite. Sa vengeance allait au-delà de ses espérances.

Chapitre 23

Cécile s'était assoupie un court instant. Soudainement, elle fut réveillée par la fraîcheur matinale et un rayon de soleil qui entrait dans la grotte.

Elle vit que le feu s'était éteint et que Lucas ne se trouvait plus à ses côtés.

Elle se leva précipitamment et regarda aux alentours, mais aucune trace de l'enfant.

En sortant, elle l'aperçut au bord du lac, les mains dans les poches et la tête rentrée dans les épaules.

Il se retourna et la vit s'approcher. Il lui demanda si elle avait réussi à dormir, elle lui répondit que non. Lucas s'en excusa aussitôt et lui prit la main pour marcher le long du sentier en direction du village.

En passant devant le manoir, Le garçon s'arrêta et demanda à sa nourrice si elle voulait rentrer chez elle.

— Je vais devoir faire une toilette, confia-t-elle. La nuit passée dans cette grotte ne m'a pas réussi, tu devrais m'accompagner.

Il lâcha sa main aussitôt et se recula pour s'asseoir sur une souche d'arbre.

— Je vais attendre ici.

Cécile n'insista pas. Elle entra dans le manoir et vit Romaric au bas de l'escalier comme perdu dans ses pensées.

— Que fais-tu ici ? demanda-t-elle ?

Il répondit à sa question par une autre.

— Où est Lucas ?

— Il m'attend dehors, il ne voulait pas rentrer, mais toi que t'arrive-t-il ?

— Rien, ne le laisse pas seul trop longtemps, tu sais c'est Pelham qui refusait d'entrer ici hier soir, mais certainement pas Lucas.

— Oui, je m'en doutais et toi, tu es sûr que ça va ?

— Oui, oui, grommela-t-il sur un ton agacé, ne t'en fais pas pour moi, occupe-toi de Lucas.

Elle monta l'escalier en le regardant d'un air plutôt inquiet, puis alla faire un brin de toilette en toute hâte.

Pendant ce temps, Romaric s'approcha de la fenêtre située à côté de la porte d'entrée.

Il regarda Lucas au loin. Il faisait les cent pas entre la souche d'arbre et le lac.

Le sorcier avait l'impression qu'il parlait tout seul. Il voulut sortir pour en avoir le cœur net mais y renonça en pensant que le chevalier risquait d'intervenir à nouveau.

Cécile descendit à cet instant. Elle s'était rafraîchie et changée, elle devait encore passer chez les Delson pour s'occuper de Lucas.

Elle vit au passage que Romaric n'était plus là, mais elle n'avait pas vraiment le temps de le chercher, elle lui parlerait plus tard.

Elle sortit et passa le portail avant de retrouver Lucas en pleine discussion avec lui-même apparemment. Il se retourna et vit Cécile qui lui dit de se dépêcher car il devait se changer avant l'école.

Ils traversèrent en toute hâte le bois et arrivèrent rapidement au numéro six.

En passant dans la ruelle Cécile remarqua la tache de sang qui était presque effacée, mais encore trop visible pour oublier le drame qui avait eu lieu ici.

Ils entrèrent dans la maison et Lucas courut à la salle de bain pendant que Cécile lui choisissait des vêtements propres.

Rapidement, le garçon était lavé, changé. Ils avalèrent un rapide petit déjeuner, et prirent le chemin de l'école.

Tout le monde attendait devant la grille avec leurs enfants. Cécile était soulagée, ils n'étaient pas en retard. Les autres parents se regroupaient en les voyant arriver.

Comme d'habitude, Cécile et Lucas se retrouvaient seuls avec Julien et Charline Béraud.

Les discussions allaient bon train lorsque Louise Lougin arriva près de l'école. Cécile engagea la conversation.

— Bonjour mamie Loulou, que faites-vous ici de si bon matin ?

— Rien ma petite Cécile, j'aime bien venir voir de temps en temps tous ces enfants.

Elle haussa un peu la voix pour que tout le monde puisse entendre.

— Malgré que ce que je vois me désole beaucoup. Pourquoi des clans se forment-ils ? Ne vous en faites pas, je n'attends aucune réponse de votre part. Vous ne savez certainement pas vous non plus pourquoi vous suivez le mouvement.

En effet, personne ne se risqua à répondre.

— Ah oui ! c'est à cause de ce petit garçon sûrement, dit-elle en posant la main sur l'épaule de Lucas. Vous savez une partie de lui ne m'aime pas non plus, d'ailleurs elle n'aime personne.

Lucas lui retira sa main de son épaule et Louise continua de parler comme si de rien était.

— Mais vous savez comme tous les enfants, il a besoin de se sentir aimé. Il a besoin que nous soyons soudés pour l'aider au mieux.

Tout le monde se regardait mais personne ne bougea, Louise baissa la tête en marmonnant.

— C'est cela, pensez donc à vos petites personnes, c'est bien plus important. Quand vous comprendrez, il sera sûrement trop tard.

Elle regarda Lucas.

— Ne t'en fais pas, je t'aiderai du mieux que je peux.

Il la fixa et son regard changea, ses pupilles se transformèrent en deux petites lueurs bleues.

— Ne te fatigue pas ajouta Louise, je sais que tu es là Pelham, mais tu ne me fais pas peur. Tu veux me tuer, vas-y, je sais que tu le peux. Fais-lui lever la main et fais-le se servir d'un de tes satanés sorts, et s'en est finie de moi, je ne pourrai rien faire. Tu prouveras une fois pour toutes que Lucas est réellement une mauvaise personne. Vas-y, qu'attends-tu ?

Lucas baissa les yeux et son regard redevint normal, Louise continua.

— Évidemment, ce n'est pas intéressant, il n'est pas assez fort pour toi encore.

Elle caressa la joue de Lucas avant de s'en aller chez elle en s'aidant de sa canne. Cécile était assez proche pour avoir vu et entendu toute la scène. Elle était admirative devant cette dame si âgée et pourtant si sereine face au danger, elle enviait presque son courage.

Monsieur Parco arriva pour ouvrir les grilles et faire rentrer tous les enfants. Julien et Lucas, isolés des autres, comme à leur habitude, parlaient beaucoup.

Le maître les rappela à l'ordre car ils étaient un peu à la traîne.

Les enfants s'installèrent à leur place respective sauf Lucas qui, comme souvent, se plaça devant la fenêtre et regarda le cimetière.

Édouard Pomant leva la main pour parler.

— Maître, pourquoi vous dites rien à Lucas, il est pas assis.

Monsieur Parco n'eut pas le temps de répondre, Lucas vint aussitôt se mettre devant la table d'Édouard sans rien dire.

Il le regarda seulement pour lui faire baisser les yeux, puis il alla s'asseoir, toujours sans rien dire.

Le maître fut soulagé que cela se passe aussi bien, il retourna sur son estrade et commença son cours de mathématique.

*

Le chevalier d'Orcival était avec ses hommes et sa nouvelle recrue, Nhéos, son père, tout droit ressuscité des enfers. Il lui expliqua clairement ses intentions et toute l'histoire de la malédiction. Il lui indiqua aussi pourquoi il l'avait fait revenir.

— Connais-tu la Citadelle de Clamor, demanda Pelham ?

— De nom seulement, déclara Nhéos.

— Bien, si je t'ai ramené à la vie, c'est justement au sujet de cet endroit.

Jasper et ses compagnons étaient tout autant à l'écoute car ils n'avaient aucune idée des plans de leur chef à ce sujet.

— C'est le démon Alastor qui dirige cette Citadelle, et cela ne me convient pas beaucoup pour la suite de mes plans. Il faudrait arriver à le renverser et que tu prennes sa place. Le moyen pour y aller est simple, j'ai un cercueil qui y mène. Certes, il est interdit qu'une âme autre que le propriétaire l'emprunte, mais cette loi, rien ne nous empêche de la bafouer. Par contre pour ce qui est de prendre sa place, je te laisse carte blanche, mais ce ne sera pas facile pour toi.

Jasper l'interrompit.

— Impossible tu veux dire Pelham. S'il emprunte ton passage, les Veilleurs des Abîmes et leurs Kadrac seront aussitôt au courant et il sera emmené pour être jugé et sûrement renvoyé en enfer.

— Tu as raison Jasper, c'est pour cela qu'il nous faut un plan à la perfection, je te laisse t'en charger et tu en discuteras avec mon pè… avec Nhéos.

Pelham ne voulait plus le considérer comme son père. Nhéos avait remarqué ses hésitations, mais il ne savait pas que c'était son fils. Le passage aux enfers lui avait fait tout oublier de sa vie de mortel et en principe on n'en revient pas. Cela allait très bien au chevalier d'Orcival, pour lui son père était mort sous sa lame, il y a environ cinq siècles.

Jasper discutait beaucoup avec ses compagnons, il savait que la tâche que lui avait confiée Pelham allait être rude et qu'elle ne serait pas aisée à réaliser.

Il savait aussi qu'il avait du temps, Lucas n'était encore qu'un enfant, ses pouvoirs n'en étaient encore qu'à leurs balbutiements.

Ce qui inquiétait Jasper, c'étaient aussi les Veilleurs. Ils étaient extrêmement nombreux, car beaucoup n'arrivent pas à effacer leur malédiction et reste ainsi à la Citadelle. De plus, la plupart des Veilleurs possèdent un Kadrac, et ils sont tous là pour protéger aussi leur supérieur.

Par contre si leur seigneur est vaincu, ils défendent leur nouveau leader et tuent l'ancien si ce n'est déjà fait. Tout ceci, Jasper le savait car il avait beaucoup étudié la hiérarchie de cet endroit. Il aurait sûrement été très intéressé d'en prendre le pouvoir, ceci Pelham l'avait toujours ignoré.

*

Le père Abel venait de finir la mise en terre du reste de la femme trouvée dans la forêt. Il était en compagnie de quelques membres de la famille de la défunte. Elle avait pu être identifiée grâce au docteur Fabri, qui était présent, et aux informations de différentes personnes qui s'étaient rendu compte de sa disparition.

C'était une femme seule, d'une quarantaine d'années, qui habitait la région depuis peu.

Sa famille s'était inquiétée de ne plus avoir de nouvelles. Ils étaient venus voir par eux-mêmes la raison de ce silence inhabituel. Le seul problème qui persistait était les raisons de sa mort. Le père Abel s'approcha du docteur et lui parla à l'écart pendant que la famille se recueillait.

— Avez-vous trouvé des indices au sujet de cette mort atroce ?

— Atroce, c'est bien le mot, réagit Fabri. Il est clair que ce sont des traces de dents qui ont brisé net ses os. Il ne s'agit pas d'un chien ou d'une meute, c'est quelque chose avec une gueule assez grande et puissante, le corps a été coupé en deux au niveau du bassin. Il y a aussi des lacérations sur les jambes, sûrement dues à des griffes peu communes.

— Mon Dieu ! c'est horrible ce que vous me racontez là. Il y aurait donc une bête dangereuse qui traîne dans les bois ?

— Je ne pense pas, nous n'avons rien vu en allant chercher le corps. Surtout, je ne comprends pas pourquoi l'animal, quel qu'il soit n'a pas fini ce qu'il a commencé. À mon avis, il n'est plus dans les parages, mais il vaut mieux rester sur ses gardes.

Le père Abel retourna auprès de la famille pour essayer de les réconforter. Il avait du mal à trouver ses mots après ce que lui avait appris le docteur Fabri. Comment pouvaient-ils faire leur deuil sans savoir ce qui s'était réellement passé ?

Il les laissa à leurs pensées, à leurs prières et retourna chez lui. Le docteur en fit autant en se retournant pour saluer le curé.

Cécile croisa le père Abel devant son presbytère. Elle lui demanda si la cérémonie était finie. Il lui répondit sur un ton très affligé.

— Oui, c'était une mise en terre spéciale. La tristesse était là, comme toujours, mais l'incompréhension et l'horreur étaient encore plus présentes. Vous savez, même si son âme est partie, il m'est impossible de comprendre et de m'en rendre compte, tant ce corps était déchiqueté. Encore plus difficile de ne pas en connaître les raisons. Selon le docteur, cette pauvre femme aurait été à moitié dévorée. Quel genre de créature peut faire cela ?

Cécile était attristée de voir le père Abel autant touché et accablé par cette épreuve. Elle savait qui était à l'origine de cette barbarie mais elle préférait ne rien dire. Elle prit les mains du père Abel dans les siennes et lui souhaita un bon courage, avant de se rendre chez les Delson.

Elle entra dans la maison, elle avait décidé d'y vivre le temps que Marie et John reviennent des États-Unis. Elle pensait que ce serait plus simple pour Lucas de se retrouver dans son environnement et surtout loin du manoir.

Elle ouvrit les fenêtres et fit un peu de ménage pour s'occuper. Elle en fit de même dans la chambre de Lucas, tout en regardant ses jouets et ses peluches rangés dans les étagères. Elle avait du mal à penser qu'il pouvait s'amuser, en ayant une entité qui le possédait en partie. Elle se disait que s'il y arrivait, cela voudrait dire qu'il peut déjà résister à Pelham. Cette pensée la rassurait un peu sur l'avenir de l'enfant.

Elle voulut redescendre mais fut stoppée par la peur.

Quelque chose, qui se trouvait dans la pénombre, était en train de monter les escaliers. Elle se réfugia dans la chambre de Marie et John, et ferma la porte à double tour. Elle respira fortement. Elle était terrorisée car elle ne savait pas de quoi il s'agissait. Elle colla son oreille à la porte, et entendit un souffle rauque et rapide, ainsi que des bruits de pas très lents. Elle sentit aussi une très forte odeur de brûlé. Elle décida d'enlever doucement la clef et pris le risque de regarder par la serrure.

Tout en douceur, elle se baissa et vit une forme qui était immobile devant la porte. Elle n'osa plus respirer ni bouger. Elle recula lentement et marcha sans bruit jusqu'à l'armoire. Elle s'allongea sur le sol et se glissa sous le lit. Elle vit la poignée se tourner doucement, la porte bouger d'arrière en avant, puis la poignée revenir à sa place initiale.

Pendant quelques minutes, plus aucun bruit, elle voulut se lever. À ce moment précis, la porte s'ouvrit avec un grand fracas en faisant voler des morceaux de bois partout. Cécile mit ses mains sur sa bouche pour ne pas crier. Elle vit deux pieds squelettiques et fumants venir dans sa direction, puis deux mains attraper le bas du lit et commencer à le soulever.

Cécile ne savait plus quoi faire. Soudain, la sonnette de la porte d'entrée retentit. Le lit retomba d'un coup lorsque la forme squelettique disparut. Pendant quelques minutes, plus aucun bruit. Cécile se releva et vit la porte complètement détruite. Elle voulut enjamber les débris pour descendre rapidement, mais son pied heurta une planche. Elle trébucha en se tordant la cheville droite et fit un roulé-boulé jusqu'en bas des marches. Elle était groggy, mais parvint à se relever et s'agripper à la poignée pour ouvrir la porte. À sa plus grande surprise, elle aperçut Louise se tenir sur le seuil de l'entrée, elle était venue lui rendre visite. Cécile lui tomba dans les bras en pleurs et en la remerciant.

La vieille dame comprit qu'il s'était passé quelque chose d'anormal, elle la fit rentrer et s'asseoir sur le canapé en essayant de la calmer. Elle alla lui chercher un verre d'eau fraîche que Cécile saisit de ses deux mains tremblantes.

— Qu'y a-t-il ma chérie demanda Louise en lui essuyant ses larmes.

Cécile répondit d'une voix chevrotante.

— Mamie... j'ai eu peur... j'ai vu... je ne sais pas, c'était horrible. Il me cherchait, je crois, mon Dieu ! heureusement que vous êtes arrivée, cette chose m'aurait tuée.

Elle s'effondra sur l'épaule de Louise, celle-ci lui caressa les cheveux en la réconfortant.

— Allons, allons ça va aller, je suis là, il est parti. Donne-moi ton bras et emmène-moi où tu étais lorsque ça s'est passé.

Cécile se reprit un peu et accompagna Louise jusque dans la chambre en boitant légèrement.

— C'est ici, montra-t-elle en parlant d'une voix apeurée, j'étais sous le lit.

Madame Lougin lâcha le bras de Cécile et fit le tour de la pièce en regardant la porte, dans un premier temps, puis le lit. Elle posa une main sur le bord de celui-ci et ferma les yeux.

— Je vois chuchota-t-elle, je vois un être revenu d'entre les morts, non attend.

Elle s'arrêta de parler et promena sa main sur tout le rebord au pied du lit, Cécile la regarda sans rien dire. Louise alla voir la porte qui était à terre, brisée en plusieurs morceaux. Elle toucha la poignée et retira sa main aussitôt. Elle se tourna vers Cécile.

— Mon Dieu ! il l'a ramené. La chose que tu as vue, elle vient des enfers.

Cécile tomba des nues. Elle alla s'asseoir sur le lit en essayant de comprendre.

— Que dites-vous ? des enfers ? Mais qui ? et que fait-il ici ? Que me veut-il ?

— Je ne sais pas encore, ce qui est sûr c'est qu'une personne l'a ramené à la vie. Je ne vois que le chevalier d'Orcival pour faire une telle chose. Il doit avoir quelques idées très importantes en tête pour faire une telle folie. Quant au fait qu'il s'en prenne à toi, la seule chose que je vois c'est que tu es une Vallerand. Fais bien attention à l'avenir, depuis sa mort Pelham voue une haine démesurée à ta famille.

— Je ne sais quoi répondre, balbutia Cécile. Que peut-on faire face à un être qui revient de l'enfer ? Je ne suis pas de taille à me défendre contre lui. J'ai peur mamie.

Louise la prit dans ses bras pour la réconforter, en sachant très bien qu'elle-même ne pourrait rien faire pour lui venir en aide.

234

Chapitre 24

Pelham avait demandé à Nhéos de venir le voir, il voulait l'entretenir au sujet de la visite qu'il avait faite à Cécile de Vallerand. Il se mit à lui parler sur un ton un peu moqueur, comme à son habitude son air condescendant reprenait le dessus.

— Pour une première mission, ce n'est pas une grande réussite. J'ai l'impression que ton séjour en enfer ne t'a pas aidé, tu es toujours un perdant.

Nhéos ne comprit pas les allusions de Pelham, il avait tout oublié, notamment que c'était son fils en face de lui.

— J'ai joué de malchance, cette vieille femme est arrivée au mauvais moment. Elle m'a l'air spéciale. Je ne l'aime pas du tout, quelque chose en elle me perturbe.

— Sur ce point, nous sommes d'accord attesta Pelham, mais pour le moment c'est la petite Vallerand qui nous intéresse. Il faut qu'elle disparaisse, je ne peux plus supporter ce misérable nom. Il faut l'éliminer… Non plutôt l'enlever et l'emmener ici, elle pourrait nous être utile, seulement pendant un moment. Après tu en feras ce que tu voudras.

— Je me ferais un plaisir de t'en débarrasser mon maître, garantit Nhéos avec un plaisir non dissimulé.

— Attends, j'ai autre chose à te demander. Je crois savoir qu'il y a une famille qui descend d'une de nos vieilles connaissances. Jasper, explique-lui.

— Voilà, c'est une personne qui travaillait beaucoup avec nous jadis. Il était un de nos compagnons, et un jour, sans savoir pourquoi, il est parti de son côté. Il nous a causé pas mal de problèmes avant de s'exiler dans un autre pays. Nous ne l'avons jamais revu. Pelham avait juré de le tuer, il n'a pas pu tenir sa promesse. Il se nommait Gaspard Varrin. Nous savons qu'il y a des descendants de sa famille quelque part dans la région, il y a la mère et ses deux grands enfants. Pelham aimerait que sa lignée s'arrête ici, que ce nom disparaisse à tout jamais. La grand-mère du village doit savoir où ils se trouvent, va donc la voir et sois sans ménagements si elle ne veut pas te parler.

— C'est celle qui est arrivée avant que je puisse m'occuper de la fille ?

— Oui, certifia Pelham, pourquoi, elle te fait peur ?

— Non, je n'ai peur de personne. Elle est juste différente des autres, elle ressent les choses, je ne sais pas de quoi elle est capable, mais rassure-toi il sera fait selon tes désirs. Que dois-je faire de cette famille lorsque je l'aurai retrouvée ?

Pelham rétorqua sans hésitations.

— Ils sont à toi, fais-en ce que tu veux, amuse-toi, mais surtout extermine-les.

*

Cécile était partie à la quincaillerie demander de l'aide à Bernard pour réparer les dégâts chez les Delson. Comme à son habitude, toujours aussi serviable il suivit Cécile afin de constater les dégradations. Elle le fit monter dans la chambre où se trouvait encore Louise Lougin. Il eut un mouvement de recul en voyant l'état dans lequel se trouvait la porte.

— Bon sang ! que s'est-il passé ici, qui a fait ça ?

Mamie Loulou lui chuchota à l'oreille en lui posant la main sur le bras.

— D'après vous, ce n'est pas une de nous deux, c'est quelqu'un qui a beaucoup plus de force.

Bernard se gratta la tête.

— Si cela a un rapport avec ce qu'il s'est passé au baptême, je préfère ne rien savoir. Malheureusement, aucune réparation n'est possible rétorqua le quincaillier. Je vais devoir changer cette porte, on y verra que du feu.

En exprimant sa pensée, il ne croyait pas si bien dire le pauvre homme.

Cécile le remercia chaleureusement. Il se mit au travail pendant que les deux femmes s'étaient installées dans la cuisine. Elles parlaient beaucoup de ce qui s'était passé en regardant les allées et venues de l'artisan. Louise essayant toujours de rassurer Cécile qui oscillait entre larme et sourire.

Elle pensait à Lucas qui devait bientôt sortir de l'école, et demanda à Bernard où il en était. Il venait de finir et madame Lougin lui proposa de le raccompagner à sa boutique. Elle voulait le dédommager pour son travail, grâce à lui il n'y aurait aucune explication à donner sur ce qui s'était passé à l'étage.

*

Cécile se rendit à l'école pour attendre Lucas. En arrivant, elle vit un attroupement dans la cour. Elle se mit à courir sans savoir ce qui l'attendait. Elle pensait aussi que Lucas pouvait être à l'origine de ceci.

Les discussions entre tous les protagonistes semblaient vives, lorsque Cécile arriva à leur hauteur, tout le monde se tut, en la dévisageant.

Les enfants étaient tous là, sauf Lucas et Édouard Pomant. Cécile demanda ce qu'il se passait, Charline lui répondit que les deux élèves avaient disparu au retentissement de la sonnerie. Julien ne savait, ou ne voulait rien dire de plus. Cécile insista et se mit à genoux pour parler au petit Béraud.

— Julien, dis-moi ce qu'il se passe, ou sont-ils ?

Aucune réponse ne sortait de sa bouche. La mère d'Édouard interpella Cécile.

— C'est encore ce Lucas qui l'a entraîné Dieu sait où. Il est dangereux vous le savez aussi bien que nous, vous étiez là au baptême. Vous avez vu la même chose que nous.

Cécile se releva fortement agacée.

— Lucas n'est qu'un enfant, c'est vous tous qui le rendez comme il est. Comment pouvez-vous juger une personne ainsi ? Croyez-vous que ce soit en agissant de la sorte, à le condamner sans savoir, que vous allez être épargnés ? Oui, nous étions tous là au baptême, ce que nous y avons vu sort de l'entendement. Eh oui ! Lucas a une partie de cette chose en lui, pour qui est-ce le plus dur, pour vous ou pour lui ? Allez ! répondez !

Personne n'osa dire un mot, Cécile reprit.

— Au lieu de blâmer et de condamner cet enfant, nous devrions tous rester soudés pour combattre le mal, et non pas nous diviser, cela lui rend la tâche plus facile. Si cela était tombé sur votre Édouard, vous comprendriez. Alors au lieu de dire à qui revient la faute, cherchons-les… ensemble.

Cécile eut quand même l'impression d'avoir prêché dans le vide, une énième fois en voyant toujours les groupes semblables se former pour les recherches. Elle et les Béraud d'un côté, et le reste des parents de l'autre.

Tout le monde s'éparpillait, en criant leurs prénoms, et en espérant les retrouver avant la nuit qui arrivait très vite à cette époque de l'année.

Le père Abel s'était joint aux recherches. Il fit un détour par le petit parc qu'il fouilla entièrement sans succès. Il continua en prenant le sentier qui longeait le cimetière.

Cécile et les Béraud étaient partis du côté de la salle des fêtes. Tous les autres empruntèrent les différentes ruelles du village.

Le docteur Fabri, intrigué par ce remue-ménage, était sorti pour demander ce qu'il se passait. Dès qu'il fut au courant, il entreprit des recherches aussi.

Cécile commença à être vraiment inquiète et ne cessa pas de questionner Julien qui était avec eux. La seule réponse qu'elle obtenait à chaque fois était la même, « Je sais pas ».

La mère d'Édouard était aussi dans tous ses états. Elle incriminait encore et toujours Lucas.

Cécile passa devant la maison de madame Lougin. Elle s'y arrêta et frappa nerveusement à la porte.

— Mamie, mamie ouvrez vite.

La vieille dame apparut à la fenêtre de sa cuisine.

— Oh là ! du calme, tu vas briser ma porte, ça suffit pour aujourd'hui. Que veux-tu ?

— C'est Lucas, il a disparu avec Édouard, vous ne les auriez pas vus ?

— Ah ! non ma petite, mais je serais toi j'irais voir au cimetière.

— Le père Abel en fait déjà le tour, ajouta Cécile.

— Non, je précise, va voir dans le cimetière, il y est sûrement.

Louise lui fit un clin d'œil avant de refermer sa fenêtre. Cécile comprit que c'était l'endroit où il se trouvait. Elle courut et ouvrit le portillon en bois qui donne accès au fameux cimetière. Elle gravit la petite colline en appelant Lucas et se retrouva au sommet, juste à côté de la tombe du Chevalier d'Orcival.

Elle regarda derrière celle-ci et trouva Lucas assis, Édouard allongé à ses pieds.

— Mon Dieu s'écria-t-elle en prenant Édouard dans ses bras, que s'est-il passé ?

— Il va bien, la tranquillisa Lucas.

Cécile le vit reprendre ses esprits doucement. Il semblait perdu.

Les autres parents arrivèrent au même endroit, alerté par le père Abel qui avait vu la scène des retrouvailles.

Madame Pomant arriva près de son fils comme une furie en hurlant après Cécile.

— Lâchez-le tout de suite.

Puis elle se calma en prenant son enfant dans ses bras.

— Comment vas-tu mon petit ? Que t'as fait ce monstre ?

Lucas le regarda dans les yeux, Édouard répondit timidement.

— Rien maman, on jouait.

Tout le monde était sceptique, mais impossible de savoir la vérité. Chacun reprit le chemin de son domicile, mais Cécile se mit devant madame Pomant pour l'empêcher de passer.

— Cet enfant n'est pas un monstre, il s'appelle Lucas. La prochaine fois que vous le traiterez ainsi vous aurez affaire à moi, madame.

Édouard et sa mère se regardèrent et s'en allèrent avec un sentiment de peur non dissimulé.

Cécile se dit que cet épisode n'allait pas arranger les choses entre eux et le reste du village.

Elle prit la main de Lucas pour l'emmener chez lui, il était plein de terre et avait besoin d'un bon bain. En chemin, elle essaya de le questionner, mais Lucas lui répondit simplement qu'il n'avait rien fait de mal. Il promit de tout lui raconter à la maison.

Louise Lougin fermait tranquillement ses volets, mais avant cela, alla jeter ses épluchures dans un coin de sa cour, pour les donner plus tard aux voisins qui élevaient quelques poules. Elle pensait vraiment à tout le monde. Elle mit un tour de clef sur son portail avant de se diriger vers sa cuisine. Elle entra, ferma la porte, alluma et posa son trousseau de clefs, puis se servit un petit verre de vin, son petit plaisir du soir. La télévision était allumée, mais juste pour briser le silence de la solitude. Elle n'avait aucune idée du programme qui passait actuellement. Elle remit une bûche dans sa cuisinière, et remua la soupe qui était en train de cuire tout doucement. Elle huma le parfum et jeta quelques pincées de poivre pour rajouter un peu de piquant. Elle alla s'asseoir dans son fauteuil qui se trouvait à côté du fourneau pour se réchauffer un peu. Elle prit une revue et à ce moment, entendit un bruit à l'étage du dessus. Elle leva les yeux au plafond et écouta. Cela ressemblait à une personne qui marchait lentement en faisant grincer le vieux parquet.

— Il y a quelqu'un ? cria-t-elle ?

Aucune réponse, mais le bruit continuait. Elle se leva, prit sa canne et commença à gravir les marches en grommelant.

— C'est difficile pour moi de monter, je n'y vais que le soir pour me coucher. S'il y a quelqu'un, ça va barder.

Elle arriva sur le palier où se trouvaient deux portes, une pour sa chambre et une pour la salle de bain, qu'elle ouvrit en premier. Elle ne vit rien d'anormal. Elle se tourna pour ouvrir l'autre. En regardant au sol, elle vit une lumière passer sous la porte.

— Tu es donc là, annonça-t-elle, sans être décontenancée.

Elle tourna la poignée et poussa la porte d'un coup brutal. Devant elle se tenait une silhouette embrasée, qui s'éteignit à son entrée.

Elle fut à peine surprise lorsqu'elle le vit.

— C'est donc toi qui nous viens des enfers, quel est ton nom ?

— On m'appelle Nhéos, mais c'est moi qui pose les questions.

— Tiens ton nom me dit quelque chose, d'Orcival, je suppose.

— Exact, mais je ne suis pas là pour toi vielle femme je cherche une famille.

— Pourquoi chez moi ? s'enquit Louise avec un sang-froid total.

— Tu sais beaucoup de choses, tu vois beaucoup de choses, tu ressens beaucoup de choses. Tu dois savoir.

— Savoir quoi ? et pourquoi t'aiderais-je ?

— Tu le dois sinon ta maison brûle, et toi avec.

— Pff ! cela m'est égal, je ne suis plus toute jeune, mon heure va bientôt sonner de toute façon, alors maintenant ou plus tard.

— Soit, et tes amis, tu y tiens ? Cécile, le docteur, le curé. Je peux faire disparaître ce village si tu préfères.

Louise fronça les sourcils, sa propre vie n'avait plus de valeurs à ses yeux, mais les personnes qu'il avait citées, si, elle y tenait énormément, elles les considéraient comme une partie de sa famille. Elle commençait à le prendre au sérieux.

— Qui cherches-tu ?

— La famille Varrin, où sont-ils ?

— Eux, pourquoi donc ? Ce sont des gens sans aucune importance, tout le monde les déteste. Ils sont sans foi ni loi depuis des générations. On ne les voit jamais, ils vivent en totale autarcie dans une cabane miteuse en dehors du village.

— Dis-moi où les trouver.

— Je ne sais pas s'ils sont encore de ce monde, ils habitaient après le chemin qui longe le parc. Ils sont isolés dans les bois, mais que leur voulez-vous ?

— Ce n'est pas ton problème, je vais les chercher, retourne en bas, je vais partir.

Louise ne demanda pas son reste, redescendit dans sa cuisine et continua à surveiller sa soupe. Elle pensa à cette famille qui n'avait fait que le mal autour d'elle, ils étaient obligés de vivre à l'écart du village. On ne les voyait que très rarement, ils s'étaient fait beaucoup d'ennemis. Elle ne comprenait pas pourquoi ce Nhéos ou même Pelham s'intéressait à eux.

D'ailleurs, elle eut du mal à comprendre pourquoi le Chevalier d'Orcival avait fait revenir son père des enfers.

Nhéos chemina le long du parc et avança un bon moment avant de tomber sur l'orée d'un bois sombre. Il faisait une nuit noire, sans aucune lune. Il erra un certain temps dans la forêt lorsqu'il entendit des cris et vit une lumière au loin. Il regarda un long moment la scène. Les deux enfants, qui devaient avoir une vingtaine d'années, se chamaillaient pour savoir qui allait avoir la peau du lapin que leur mère venait de tuer. Ils tiraient chacun d'un côté, les mains pleines du sang de la pauvre bête. Le garçon qui se prénommait Maurice avait remporté le trophée.

Il se mit à courir autour du feu de camp comme les Indiens pouvaient le faire à leur époque, poursuivi par sa sœur Évelyne, qui ne voulait pas lâcher l'affaire.

Leur mère, Renée sortit pour mettre fin à ce chahut, en les rossant avec un manche à balai et en leur ordonnant de rentrer. Nhéos, bien que mort et revenant des enfers, était consterné par ce qu'il venait de voir. Il comprit mieux ce que voulait dire Louise au sujet de cette famille, somme toute bizarre.

Il s'approcha de la maison. Il absorba le feu de camp en marchant dessus, et se tenait devant une fenêtre pour les observer de nouveau. Il ne vit rien de plus que la scène qui s'était déroulée à l'extérieur, leur médiocrité le laissa sans aucune réaction. Il fit le tour de la maison pour bloquer toutes les issues possibles, sauf une pour que lui puisse entrer et accomplir sa macabre mission.

Il se tenait debout devant la porte et entra en la brisant d'un geste. Les trois occupants furent surpris et n'eurent pas le temps de réagir. Nhéos leva le bras pour envoyer des pointes de feu se loger dans leurs mains et les clouer au mur.

Des cris de douleurs retentissaient dans cette forêt isolée où personne ne pourrait venir les secourir.

Évelyne essaya de lui parler en pleurant de douleur.

— Qui êtes-vous ? Pitié, laissez-nous.

Il rétorqua avec aplomb.

— Je suis Nhéos d'Orcival, si tu savais qui j'étais jeune fille, tu saurais que je n'ai aucune pitié, votre mort est entre mes mains. Elle sera aussi longue et douloureuse que je le souhaite. Le temps n'a plus d'emprise sur moi, vous allez vous en rendre compte à vos dépens.

Il se promena dans la maison sans se préoccuper des cris déchirants provenant de ses habitants. Il regarda dans chaque pièce, cette demeure était vraiment en piteux état. Les meubles étaient tous rafistolés avec de la corde et du fil de fer, des bidons servaient de chaises. La crasse et la poussière étaient omniprésentes. Une odeur de moisissure et d'urine envahissait les lieux.

Il se retourna en direction de ses futures victimes. Il les regarda attentivement se tordre de douleurs.

— Qu'attendez-vous de nous ? lui demanda Renée en pleurs.

— Moi ? s'étonna Nhéos, rien. Si vous en êtes là, c'est à cause d'un de vos ancêtres, Gaspard Varrin. Vous portez seulement le mauvais nom pour mon maître.

— Je ne comprends rien, cria Maurice, qui sers-tu ?

— Toi tu parles trop fort et ta question est déplacée, mais je vais être bon prince, je vais te répondre. Mes cinq siècles passés aux enfers m'ont terriblement ennuyé et celui que je sers comme tu dis, c'est le chevalier Pelham, un être très puissant, il m'a ramené ici et vous allez me servir pour le convaincre qu'il n'a pas fait d'erreur en me rappelant. Croyez que je suis désolé que votre trépas soit la conséquence d'une trahison il y a de cela cinq cents ans.

Nhéos s'approcha de lui. Il le fixa dans les yeux un long moment pour l'envoûter et pour pouvoir diriger son corps. Les clous tombèrent de ses mains, il était conscient et voyait tous les gestes qu'il faisait. Nhéos s'en servait comme d'une marionnette. Il le dirigea vers la cuisine pour se saisir d'un couteau. Maurice le prit en main et se positionna devant sa mère. Ils se regardèrent dans les yeux, un long moment, Renée pleurait, son fils voyant ce qu'il faisait se mit à pleurer aussi. Il enfonça lentement la lame du couteau dans le bas ventre de sa mère et remonta jusqu'à sa poitrine, il venait d'éventrer sa propre génitrice, qui s'effondra au sol dans des cris de douleurs insupportable avant de mourir.

Évelyne hurlait de terreur, ses jambes ne la tenaient plus, son corps s'affaissa et ses mains se déchirèrent au niveau des clous enflammés.

Maurice s'agenouilla auprès de sa sœur. Il l'égorgea d'un coup et se releva pour se trouver face à Nhéos.

— Tu es très doué, pour te remercier je vais te châtier moi-même.

Il leva la main, en un instant le corps de Maurice s'embrasa, son calvaire dura plusieurs minutes. Ses cris s'estompèrent peu à peu. Le silence revint lorsque sa vie s'échappa de son corps.

Nhéos sortit et regarda la maison. Il leva la main une nouvelle fois puis ce fut au tour de leur demeure de s'enflammer. D'ici quelque temps, il ne resterait plus rien des Varrin.

Nhéos repartit. Le silence de la forêt était rompu par le crépitement des flammes. La noirceur de la nuit était éclairée par le brasier de cette maison. Toute une génération venait de disparaître en peu de temps, c'est certainement ce que Pelham d'Orcival voulait réserver à tout le village.

Chapitre 25

Cécile arriva à la maison avec Lucas. Sans dire un seul mot, elle l'emmena dans la salle de bain, le déshabilla pour qu'il puisse prendre son bain et enlever toute cette terre séchée. Cécile avait la tête ailleurs, ces pensées l'obsédaient. En allant lui chercher des vêtements propres, elle se demandait s'il lui raconterait réellement ce qu'il s'était passé et ce qu'il faisait avec Édouard, apparemment évanoui à ses pieds. Était-ce lui qui l'avait agressé, ou simplement avait-il eu un malaise ? Elle avait hâte d'entendre les réponses à ses questions.

Au bout de quelques instants, Lucas se mit à l'appeler si fort que Cécile sursauta.

— Que veux-tu, lui demanda-t-elle ?

— Je veux mes habits, s'il te plaît.

On ne peut pas dire qu'il aimait passer du temps dans la salle de bain. Cécile s'exécuta et lui apporta ses habits.

— Me voilà, allez sort du bain petit garnement.

Elle l'essuya et le rhabilla rapidement pour ne pas qu'il ait trop froid.

— Alors lui dit-elle, vas-tu me raconter ce que tu faisais avec ton ami près de cette tombe ?

— C'est pas mon ami, protesta sèchement Lucas.

— Bon d'accord mais que faisiez-vous là-bas ?

Il hésita un moment en regardant le sol, puis sortit de la salle de bain pour se rendre dans le salon.

Cécile le rejoignit et s'accroupit devant lui.

— Raconte-moi s'il te plaît, c'est important pour moi, je veux t'aider.

— Il me croyait pas.

— À quel sujet ?

— La mort.

Cécile se releva et recula pour s'asseoir sur une chaise, ne sachant trop quoi répondre. Lucas lui facilita la tâche en continuant de parler.

— Il ne me croyait pas quand je lui ai dit qu'il y avait des morts dans les trous, je lui ai montré.

— Comment as-tu fait ?

— Je l'ai emmené voir la dame coupée en deux et ma tombe... Non... celle du chevalier.

— Raconte-moi.

— J'ai pris sa main, on est allé voir la dame sous terre. Il pleurait comme un bébé. Après on a été dans le caveau et c'est en ressortant qu'il ne bougeait plus, j'attendais qu'il se réveille.

Cécile resta un moment sans voix. Elle était ébahie et terrorisée en même temps. Elle cherchait ses mots sous le regard insistant de Lucas.

— P... pourquoi avoir fait cela implora-t-elle ?

— Je lui ai dit que j'étais mort... Pas moi... L'autre.

Elle s'aperçut que Lucas commençait à être un peu perdu avec une partie de cette âme en lui. Il continua son discours.

— Alors je lui ai montré où j'habite... Non où il habite, et ce que je ferai aux gens pas gentils. Comme le Kadrac a fait à cette dame. C'est pas moi qui ferais ça... C'est lui.

Elle le prit dans ses bras. Il se recula en disant que tout allait bien, mais ne comprenait pas pourquoi Cécile avait les larmes aux yeux. Elle lui dit que ce n'était rien, qu'il ne fallait pas qu'il s'inquiète. Lucas lui tendit un mouchoir et elle se mit à sourire. L'ambiance était redevenue plus apaisée pour la soirée, ils dînèrent et regardèrent la télévision un petit moment avant que Lucas aille se coucher.

Il s'arrêta sur les marches de l'escalier et demanda à Cécile de venir lui raconter une histoire, comme le faisait sa maman ou son papa avant qu'il ne s'endorme. Elle accepta aussitôt et le suivit.

Elle lui racontait l'histoire d'un jeune garçon qui combattait des géants après avoir malencontreusement planté quelques graines de haricots dans le sol. Lucas disait toujours que c'est ce qu'il ferait plus tard, il tuerait les vilaines personnes qui s'en prendraient à sa famille ou à Cécile.

Elle lui caressa la joue en lui faisant un grand sourire. Il lui rendit cette marque d'affection en se redressant, en la prenant dans ses bras.

— Je t'aime beaucoup Cécile, tu es ma deuxième maman.

Elle ne put retenir ses larmes ce coup-ci devant tant de gentillesse et d'amour. Elle lui répondit qu'elle aussi l'aimait comme le fils qu'elle aurait aimé avoir.

Elle referma le livre, le borda et lui souhaita une bonne nuit. Elle redescendit au salon pour se détendre devant un film ou un reportage quelconque. Le contenu l'importait peu, elle voulait juste penser à autre chose.

Les heures passaient, Cécile commençait à s'endormir sur le canapé. Dehors le vent se levait ainsi que la pluie qui venait frapper contre les volets. Puis le tonnerre se mit à gronder, doucement au début et de plus en plus fort au fil des minutes.

L'orage était désormais au-dessus du village, les éclairs étaient très intenses, ainsi que la pluie qui se transforma rapidement en grêle. Cécile sortit de sa somnolence, se leva précipitamment et alla vérifier que toutes les fenêtres étaient bien fermées. Elle entendit parmi tout ce vacarme, les cris de Lucas.

Elle monta rapidement les escaliers et arriva dans sa chambre pour assister à un spectacle auquel elle ne s'attendait pas.

Elle le vit debout sur son lit, les bras levés au ciel. Des éclairs sortaient de ses mains et se perdaient dans le plafond et bien au-delà. Ses yeux étaient sombres avec une lueur bleue en leur centre. Elle comprit que ce n'était pas Lucas, mais elle ne savait pas quoi faire. Il criait de douleur en pleurant.

— Cécile, aide-moi, il me fait mal.

Soudain, avant qu'elle ne réagisse, la voix de Lucas changea, ainsi que son comportement.

— Ne fais rien de stupide héritière de Vallerand, tes jours sont comptés, laisse mes pouvoirs s'imprégner et grandir en lui.

Puis ce fut le silence total. Le tonnerre cessa, les éclairs s'estompèrent et la grêle s'arrêta.

Lucas s'effondra dans son lit telle une marionnette à qui on aurait coupé les fils. Cécile se précipita vers lui, il dormait. Elle le recouvrit et décida de dormir à ses côtés. Les mots qu'elle avait entendu sortir de la bouche de cet enfant l'angoissaient. Elle préférait se blottir à côté de lui pour le reste de la nuit, au cas où le Chevalier reprendrait possession de son corps. Elle savait très bien qu'elle ne pourrait rien y faire, mais elle se sentirait quand même plus utile ici, ne serait-ce que pour le tranquilliser et se rassurer aussi.

Pelham se sentait plutôt bien. L'expérience de cette nuit le rendait optimiste pour la suite, ses pouvoirs grandissaient bien plus vite qu'il ne l'aurait espéré. Le fait d'activer un orage aussi violent lui fit penser que Lucas était vraiment spécial. Lui il n'avait réussi cette performance que vers l'âge de douze ans environ. Ce qui le dérangeait c'est que le jeune garçon avait réussi à parler à sa nourrice, alors que c'est lui qui dirigeait son corps.

Il se rendait de plus en plus compte que le chemin pour arriver à ses fins serait difficile.

*

Nhéos arriva à ce moment précis, après avoir débarrassé le village des Varrin et salua le chevalier d'Orcival.

— J'ai mené à bien ma mission maître, cette famille n'existe plus.

— Parfait, je vois que je peux compter sur toi.

— Oui, avez-vous autre chose à me confier ?

— Non, pour le moment cette Vallerand est avec l'enfant, nous ne pouvons rien faire. Je ne suis pas sûr de pouvoir l'empêcher de défendre sa nourrice pour le moment. Nous attendrons qu'elle soit seule et isolée. Cependant, tu peux préparer un endroit dans la grande salle pour la recevoir prochainement.

— Bien maître, il sera fait selon vos désirs.

Nhéos repartit en direction de la salle du trône pour s'acquitter de sa tâche. Il croisa Jasper qui allait voir Pelham.

— Alors, Jasper Gavyne, mon ami, déclara le chevalier d'Orcival, m'apportes-tu de bonnes nouvelles au sujet de notre plan ?

— Hélas non ! du moins pas pour le moment. Je ne vois pas comment prendre le pouvoir de la Citadelle de Clamor avec tous ces Veilleurs et leurs Kadracs.

— Évidemment, je n'ai jamais dit que ce serait facile, mais ce n'est pas impossible. Cherchez bien, il doit bien y avoir une faille quelque part. Cette Citadelle n'est pas imprenable, et nous en aurons besoin si nous voulons mener à bien notre mission.

Jasper le coupa.

— Ta mission, Pelham, n'oublie pas que tu nous as forcés à rester ici.

— Oui, oui, ne revenons pas là-dessus, trouve plutôt une solution au lieu de penser toujours à ça. Rien ne peut être changé, de toute façon vous êtes ici, point.

Jasper s'en alla rejoindre ses compagnons en marmonnant. Il arrivait à la salle des cercueils, et regardait celui de Pelham. Ses amis le voyaient songeur.

— À quoi penses-tu ? dit l'un d'eux.

— Je me demandais si… Si Nhéos regardait au travers, est-ce que les Veilleurs des Abîmes réagiraient pareil que si c'était l'un d'entre nous ? Après tout, il ne vient pas de la Citadelle lui.

Le plus jeune des chevaliers apporta un semblant de réponse.

— Déjà, il ne fait pas partie de la Citadelle, en effet donc ils n'ont rien sur lui. Nous savons que les Enfers et Clamor n'ont jamais été très proches, la Citadelle permet de donner une seconde chance pour finir leur mort en paix. Quant aux Enfers, la mort est immédiate et définitive. Surtout sans repos, sans retour possible, sauf si l'on s'appelle Pelham.

— C'est bien résumé, et c'est exact, accrédita Jasper, mais cela ne répond pas à ma question. Je pense que nous devrions essayer.

Ses onze compagnons se regardèrent, sans savoir trop quoi penser de cette idée. C'était osé et risqué, mais le fait était que personne n'avait la réponse. C'était donc la seule solution pour savoir. L'un d'eux disait qu'il fallait mieux demander à Pelham. Un autre pensait qu'il ne fallait pas lui dire et essayer.

La majorité ne voulait rien tenter du tout.

Jasper décida d'aller voir Nhéos. Il était dans la salle du trône en train de creuser une alcôve pour en faire une sorte de prison. Il ôtait des morceaux de roches grâce à de puissants jets de feu qui sortaient de ses mains. La chaleur était intenable dans cet endroit, sauf pour lui qui ne ressentait rien.

Jasper attendit un peu en retrait tout en le regardant s'exécuter. Il se disait à ce moment-là que Pelham avait raison, son père serait un allié très puissant. Si par hasard il parvenait à prendre le contrôle de la Citadelle de Clamor, leur objectif en serait grandement simplifié.

Malgré tout, Jasper visait depuis très longtemps la place d'Alastor, sans jamais avoir pu trouver la faille pour le renverser. Peut-être que Nhéos pourrait lui servir de tremplin. Pour l'instant, il fallait s'en accommoder, ce qui n'était pas chose facile.

Nhéos venait de terminer de creuser ce semblant de prison. Il était en train de fixer des chaînes aux murs, ainsi qu'une grille qu'il forgea en peu de temps pour fermer cette alcôve. Le fer en fusion coulait littéralement de ses mains pour en former des barreaux solides.

Jasper s'approcha de lui en demandant ce qu'il préparait. Il lui répondit que c'était son maître qui lui avait ordonné de faire ceci pour la petite Vallerand. Il lui demanda ensuite de le suivre vers le cercueil pour essayer quelque chose, une sorte d'expérience et lui précisa que l'ordre venait de son maître. Nhéos suivit sans hésiter.

En arrivant, le problème se situait à côté du tombeau, Pelham était là.

— Alors comme ça, déclama-t-il sur un ton narquois, on donne des ordres à ma place, on ne me demande même pas mon avis. On dit que j'ai donné mon accord. Je ne t'en veux pas Jasper, au moins tu tentes des choses, j'aime ça. À l'avenir, demande-moi avant de prendre une décision, je ne serais peut-être pas toujours aussi bien disposé. Il s'agit de mon serviteur, il m'est précieux. Pas pour le côté familial bien sûr. Il a un grand rôle à jouer dans no... Mon plan comme tu le dis si bien Jasper.

Il répondit en baissant la tête.

— Je sais Pelham, j'aurais dû t'en parler. N'incrimine pas nos camarades, j'ai pris seul la décision. Je suis le responsable, mais il me semblait que l'idée pouvait être bonne.

— Certes, elle mérite d'être essayée. Je te donne mon accord, mais si les Veilleurs des Abîmes débarquent ici, tu sais ce que cela voudra dire. C'en est fini de nous et de nos rêves de vengeance, tout s'arrêtera ici.

— J'en ai conscience accorda Jasper, mais je ne vois pas d'autres solutions.

Pelham regarda ses hommes et leur demanda de retirer le couvercle du cercueil. Ensuite, il ordonna à Nhéos de regarder dedans, ce qu'il fit aussitôt.

Soudainement, le caveau s'assombrit, un rayon bleu arriva au niveau des orbites de Nhéos. Il ne bougea pas. Le rayon devint rouge vif et repartit dans l'autre sens. Les chevaliers eurent l'impression que les ténèbres étaient en train d'arriver dans ce lieu.

Une chaleur intense se dégageait du rayon. Nhéos était seul au-dessus du cercueil, il restait toujours immobile, telle une statue en feu. Soudain, l'explosion. Nhéos fut projeté contre le mur et retomba lourdement au sol. Des gravats tombèrent du plafond et la terre trembla un court instant. Une épaisse fumée, sortant du tombeau, commençait à envahir toutes les pièces. Un cri strident accompagnait cette émanation. Les treize chevaliers se regardaient sans savoir ce qu'il se passait. Nhéos se releva difficilement.

Ses compagnons remirent le couvercle en place. Pelham s'approcha de son père pour savoir ce qui s'était passé et ce qu'il avait vu.

— J'ai vu un Veilleur, raconta Nhéos, il m'a fixé dès que j'ai commencé à regarder dans le cercueil. Il voulait me montrer ma vie, en vain, je n'ai pas de vie ni de mort là-bas. Je lui ai montré les enfers, il n'était pas assez puissant pour contrer cela. Il est mort et son âme est désormais perdue. Il est dans ce monde, dans ce village. Il va sûrement se rendre au lac et attendre de servir quelqu'un.

— Intéressant remarqua Pelham, tu es plus puissant qu'un Veilleur des Abîmes. Jasper, je te félicite pour ton idée remarquable. Cependant, ce n'était qu'un Veilleur, et nous n'étions pas sur leur territoire, mais c'est un bon début. Malheureusement, je pense que nous allons avoir la visite d'un Kadrac d'ici peu. Ils ne vont pas laisser cette âme perdue ici sans rien faire. Il faudra rester discret et vigilant le temps de sa présence.

Tout le monde était d'accord, ce qui n'était pas arrivé depuis bien longtemps. Cette nouvelle leur redonna un peu d'espoir pour la dure prise de la Citadelle. Ils savaient qu'une grande bataille les attendait, mais ils savaient aussi que Nhéos était un atout extraordinaire.

*

Le lendemain, Cécile se réveilla dans un lit vide. Lucas était déjà debout et s'habillait pour l'école. Elle descendit pour lui préparer son petit déjeuner, en lui demandant s'il avait bien dormi. Il répondit que oui, apparemment il ne se souvenait pas de la possession de son corps par Pelham.

Il commença sa journée comme à son habitude, sans trop parler, perdu dans ses pensées. L'heure du départ arriva, il était prêt depuis déjà plusieurs minutes. Il attendait Cécile. Elle lui tendit la main pour partir. Ils s'approchèrent de la porte d'entrée, quand Lucas s'arrêta en lui demandant d'attendre. Il lâcha sa main et se dirigea vers un petit guéridon où se trouvait une photo de famille. Il la regarda attentivement. Il y avait ses parents, aux côtés de ses grands-parents paternels. Cécile le pressa un peu pour ne pas qu'il soit en retard, mais elle ne reçut aucune réponse. Lucas était absorbé par cette image. Il regarda chaque personne et passa son doigt sur chacune d'elle. Il s'arrêta sur son grand-père. Il se retourna vers Cécile les yeux embués de larmes.

— Papy est mort.

Effarée, elle s'approcha de lui et se mit à sa hauteur.

— Mais non voyons que dis-tu ? Tes parents sont avec lui là-bas en Amérique.

— Oui, mais il est mort... Je sais.

Cécile resta bouche bée. Elle se dit qu'il avait peut-être des dons de voyance, comme madame Lougin. Elle lui en parlerait dès qu'elle la croiserait.

Cécile le prit dans ses bras et le consola comme elle put.

Lucas s'essuya les yeux et reprit la main de sa nourrice. Ils partirent comme si de rien n'était. En arrivant à l'école, Cécile l'embrassa et lui dit d'être sage jusqu'au soir. Lucas répondit que ce n'était pas de sa faute toutes ces histoires. Elle lui sourit en s'en allant et en le saluant d'un petit signe de la main. Elle repartait vers le manoir, mais fit soudain demi-tour. Elle voulait aller voir Louise et éclaircir cette affaire maintenant.

Elle arriva devant la maison lorsqu'elle vit la vieille dame sortir et venir à sa rencontre.

— Bonjour, Cécile, comment vas-tu ?

— Ça va, je vous remercie mamie.

— Je vois que quelque chose te tracasse.

— Je venais vous voir à propos de Lucas.

— Très bien, marchons un peu, je dois me rendre au marché.

Cécile lui offrit son bras et elles se mirent en route.

— Alors qu'est-ce qui te contrarie ? Dis-moi ?

— Ce matin, Lucas m'a dit que son grand-père était mort alors que nous n'avons aucune nouvelle pour le moment. Pensez-vous qu'il voie des choses ou qu'il les ressente ?

— Pour être franche réagit Louise, je sais depuis longtemps que ce petit est différent des autres. Pas seulement à cause des pouvoirs de ce chevalier, mais il avait déjà des dons. C'est pourquoi j'ai toujours de l'espoir pour cet enfant.

— Quels genres de dons aurait-il ?

— Voyance et sûrement d'autres mais je ne le sais pas encore. Ce que je peux te dire c'est que cela gêne et va gêner grandement ce Pelham.

Elles arrivèrent au marché, Cécile quitta Louise en la remerciant et reprit sa route vers le manoir. Elle avait du mal à dissimuler un sourire d'espoir. Dans leur malheur, les gens de ce village avaient peut-être eu la chance que ce soit ce petit Lucas qui soit né dans cette maison. Une chance inouïe que ce soit un enfant disposant de certaines armes pour se défendre face à un tel ennemi qu'est le chevalier d'Orcival.

Chapitre 26

À quelques milliers de kilomètres de Lucas, John et Marie ressentaient une profonde tristesse. Pas seulement due au manque de leur fils, mais surtout à la perte du père de John. Il venait de s'éteindre à l'âge de soixante-cinq ans, en perdant son ultime bataille contre son cancer. Son fils était inconsolable. Marie faisait tout pour le soutenir dans ce terrible malheur, le chagrin et la peine sont des sentiments difficiles à partager. John préférait être seul par moment, mais il savait que l'amour de sa femme l'aiderait à passer cette épreuve.

Marie s'inquiétait aussi pour Lucas. Elle ne savait pas ce qu'il devenait, et l'histoire du chevalier la hantait toujours autant. Elle attendait avec impatience le moment de leur retour, mais elle savait très bien que leur départ pour la France n'était pas encore programmé. Il fallait préparer les funérailles. Le temps était à la veillée funèbre. Les nombreux amis des Delson se succédaient dans la chambre du défunt. Madame Delson disait qu'elle ne lui survivrait pas, Marie la consolait du mieux qu'elle le pouvait.

*

En terre Auvergnate, les jours s'égrenaient tranquillement. L'hiver commençait à se rapprocher en ce début du mois de décembre. Le temps était gris, triste. La nature semblait s'être arrêtée de vivre. Les arbres, dépourvus de leurs feuilles, avaient un aspect morbide. Les habitants du village restaient terrés chez eux dans la mesure du possible. D'ailleurs, personne ne se parlait depuis ces histoires plutôt étranges. Du moins, personne ne parlait à Cécile de Vallerand, mis à part les Béraud qui étaient plus compréhensifs. Madame Lougin aussi était toujours là pour eux, ainsi que le père Abel et le docteur Fabri. Les autres formaient un clan à part.

Cécile profitait de son temps libre pour aller au manoir pendant que Lucas était à l'école. Son ancêtre lui manquait depuis quelque temps. Elle arriva devant la lourde grille qu'elle poussait de plus en plus difficilement, les gonds de celle-ci étaient inhabituellement grippés. Elle trouvait étrange que Romaric ne s'en soit pas occupé. Elle entra dans le manoir et vit que l'endroit n'était plus entretenu comme d'habitude. Les poussières et toiles d'araignées étaient nombreuses. Les fenêtres, restées ouvertes, avaient laissé entrer les dernières feuilles mortes de l'automne. Cécile, trouvant ça étrange, s'empressa de les refermer. Elle ne put croire un instant que Romaric ait laissé le manoir dans cet état.

Ce n'était pas dans ses principes. Elle se mit à le chercher en commençant naturellement par son laboratoire, c'est là qu'il passait le plus clair de son temps. Elle fut surprise de ne pas le trouver. Elle l'appela en espérant qu'il vienne à sa rencontre, mais ne vit personne. Elle passa tout l'étage au peigne fin, sans aucun résultat. Soudain, elle prit peur. Elle se dit que son temps était peut-être fini dans ce monde, qu'il avait définitivement disparu, qu'elle ne le reverrait plus. Elle releva la tête et se dit que c'était impossible, il l'aurait prévenu. Elle reprit ses recherches et descendit au rez-de-chaussée, pour emprunter une petite porte sous l'escalier qui menait à un gigantesque sous-sol. Elle héla une fois de plus son nom. Elle attendit un instant et recommença. Au bout de la troisième fois, elle eut une réponse.

— Je suis là, cesse donc de t'égosiller.

Elle alluma, regarda au loin et vit sa silhouette dans un coin du mur.

— Pourquoi ne m'as-tu pas répondu ? Cela fait un moment que je te cherche à tous les étages.

— Excuse-moi, je n'ai pas les idées claires en ce moment, je pense partir.

— Partir, comment ça ? s'étonna Cécile.

— J'ai fait mon temps ici, puis je ne suis d'aucune utilité.

— Et Pelham tu y penses ?

— Justement, si je ne suis plus là, peut-être sera-t-il plus indulgent avec les autres et avec toi, bien sûr.

— Tu es fou, que ferions-nous sans toi ? Nous avons besoin de toi, j'ai besoin de toi.

— Tu as vu ce que j'ai fait de ce chevalier, je n'ai aucune idée pour l'arrêter, aucun moyen. Je n'ai plus de force, lui par contre va monter en puissance grâce à Lucas. Ça, je ne peux rien y faire.

— Toi peut-être pas, mais Lucas pourra certainement. Il y a quelques jours, il a regardé une photo de famille et il m'a dit que son grand-père était mort.

— Coïncidence.

— Je ne pense pas, reprit Cécile. Je suis allée voir madame Lougin et elle m'a confirmé qu'il avait des pouvoirs, autres que ceux du chevalier.

Romaric se rapprocha de Cécile.

— Que t'a-t-elle dit de plus ?

— Qu'il avait un don de voyance et sûrement d'autres prédispositions, mais elle ne savait pas encore.

Il s'éloigna à nouveau en réfléchissant.

— Effectivement, cela pourrait tout changer s'il avait déjà des pouvoirs et quelques aptitudes pour la voyance. Il pourrait y avoir un conflit avec Pelham à l'intérieur de lui.

— Il a déjà fait venir le tonnerre et la foudre il y a quelques nuits de cela.

Romaric se retourna précipitamment.

— Comment, si jeune... Quelle puissance... Il sera... C'est impensable.

— Je n'ai pas tout compris, il sera quoi ?

Le sorcier se mit en face de Cécile.

— Tu imagines, le tonnerre, la foudre, il n'a que huit ans. De plus, il a une partie d'une autre âme en lui. Il va être... Je n'ai pas de mots, il aura une puissance extraordinaire.

— Justement, j'ai du mal à imaginer les pouvoirs de cet enfant.

— Tu m'as redonné de l'espoir, ma Cécile, je t'en remercie. Nous savons que tout est possible maintenant. Il faut l'aider.

— Mais comment ? demanda-t-elle.

— Je ne sais pas encore, soupira Romaric en s'en allant. Pour le moment, il faut l'entourer d'amour pour qu'il puisse choisir le bien.

Il disparut en laissant Cécile seule. Elle remonta dans le salon et vit que Romaric avait fait disparaître les feuilles mortes, les toiles d'araignées. Tout était redevenu propre. Elle repartit au village et remarqua même que le portail s'ouvrait aisément. Elle se retourna vers le manoir en levant la main.

— Merci, Romaric.

Elle ressentit un souffle puissant passer près d'elle et entendit un chuchotement.

— Merci à toi, ma Cécile.

Elle continua sa route vers la forêt avec le sourire aux lèvres. Elle arriva devant l'école bien avant l'heure de la sortie. Les enfants étaient en récréation, Lucas lui fit un signe de la main qu'elle lui rendit aussitôt. Elle le voyait assis avec Julien, au pied de l'arbre. Ils étaient en grande discussion une fois de plus. Elle aurait bien voulu connaître le sujet de cette conversation. Monsieur Parco la voyant devant les grilles vint à sa rencontre.

— Bonjour, mademoiselle, vous désirez me parler ?

— Non, je regardais les enfants s'amuser. Mais dites-moi vous savez peut-être ce que font Lucas et Julien ?

— Je suis désolé, j'ai mainte fois essayé de le savoir, mais dès que je passe près d'eux, Lucas se tait. Il reprend sa conversation quand il est sûr que personne ne les entend.

— C'est étrange en effet, remarqua-t-elle. Il ne m'en a jamais parlé non plus.

— Je dois vous laisser, les cours vont reprendre.

Monsieur Parco fit retentir la cloche pour faire rentrer les élèves en classe. Cécile regarda Lucas qui se tourna vers elle pour lui faire un sourire, avant de suivre ses camarades. Elle reprit le chemin de la maison des Delson, histoire de s'occuper en faisant un peu de ménage et de cuisine.

Elle retira son manteau qu'elle déposa sur le dos d'une chaise, puis descendit à la cave y chercher quelques légumes pour le repas du soir. Elle appuya sur l'interrupteur pour éclairer les escaliers qui étaient assez raides. Elle se dirigea vers l'endroit où se trouvaient les réserves de nourriture. En cherchant un récipient, elle remarqua l'empreinte de main sur le mur. Elle s'en approcha, intriguée. Elle l'examina attentivement. Son regard fit un aller-retour rapide entre sa propre main et cette marque. Sa curiosité et son courage ne se firent pas attendre. Elle apposa sans hésiter sa main. Elle se recula rapidement en voyant les murs commencer à bouger. Le manège de l'ouverture était assez impressionnant, Cécile n'en croyait pas ses yeux. Elle se retrouva devant une grande ouverture, donnant sur une obscurité totale. Elle avança d'un pas peu assuré, jusqu'à ce que la lumière se fasse. Les flambeaux s'allumèrent pour éclairer la gigantesque bibliothèque. Elle était émerveillée par tant de somptuosité au niveau des meubles et des ouvrages. Elle saisit un livre et l'ouvrit, ses écrits étaient incompréhensibles. Elle eut l'idée d'en prendre un pour l'emmener à Romaric, elle se disait que lui pourrait peut-être comprendre ce qui y était noté. Elle prit un manuscrit au hasard, puis ressortit. Elle se retourna pour admirer le cheminement inverse des éléments de la bibliothèque. Les lumières, le mur, tout se remit en place, il ne restait aucun indice permettant de savoir ce que dissimulait cette cloison. Excitée par cette fabuleuse découverte, elle ne put s'empêcher de courir en direction du manoir pour en faire part à Romaric. Elle arriva rapidement sur place, entra telle une furie dans le couloir et se précipita dans le salon. Son regard en fit rapidement le tour, et ne voyant pas son aïeul, monta les escaliers quatre à quatre pour se rendre dans son laboratoire. Elle le vit, penché sur une table, en train de travailler certainement à une potion ou un autre parchemin magique dont il avait le secret. Elle s'écroula dans un fauteuil à côté de lui, elle avait du mal à reprendre son souffle. Il la regarda en secouant la tête.

— Que t'arrive-t-il encore pour te mettre dans un tel état ?

Elle mit un long moment avant de lui répondre, avant que sa respiration ne redevienne normale. Elle arriva enfin à aligner quelques mots.

— J'ai découvert… Une bibliothèque… Dans la maison.

— Quelle maison ?

— Chez John… et Marie… dans la cave.

— Qu'as-tu trouvé dedans ?

— Ceci.

Elle lui montra le livre et le posa sur la table devant lui. Il admira la beauté de l'objet. Il passa sa main au-dessus et les pages se tournèrent les unes après les autres. Il regarda Cécile d'un air surpris.

— Qui y a-t-il ? demanda-t-elle, toi non plus tu ne comprends pas ?

— Je ne comprends pas quoi ?

— Eh bien ! ce qu'il y a écrit dessus.

— Cécile, il n'y a rien d'écrit sur ces pages, elles sont vierges.

Elle se leva et vint voir l'ouvrage, en effet elles étaient vides de mots.

— Je t'assure, certifia-t-elle, qu'il y avait quelque chose d'écrit dessus.

Romaric réfléchit un instant.

— Dans ce cas, il s'agit sûrement d'une bibliothèque magique, et ce livre ne peut être lu que dans cette pièce où tu l'as trouvé. Il y en avait d'autres ?

— Des centaines, tous plus beaux les uns que les autres, bien rangés dans de magnifiques bibliothèques.

Romaric était un peu perplexe.

— Tu devrais le ramener, on ne sait pas s'il y a un enchantement dans cette pièce qui permet de savoir si un livre quitte son emplacement.

Cécile venait de se rendre compte qu'elle avait peut-être commis une erreur. Et si le propriétaire s'était aperçu de la disparition d'un de ses ouvrages, que se passerait-il ?

Elle reprit le livre sans rien dire et repartit en direction du village. Elle arriva à la maison, redescendit à la cave en s'arrêtant en bas des escaliers. Elle se tourna lentement et, à sa grande

264

stupeur, vit que la bibliothèque était ouverte et éclairée. Elle s'avança prudemment en serrant le livre contre sa poitrine. Elle distingua une forme tout au fond de cette pièce. La silhouette se tourna et se déplaça instantanément pour se retrouver devant elle. Cécile poussa un cri et leva lentement la tête pour apercevoir le visage brûlé et décharné du chevalier d'Orcival. Il se trouvait à quelques centimètres d'elle.

— C'est toi jeune Vallerand qui ose me voler, de quel droit te permets-tu de prendre ce qui n'est pas pour toi.

Cécile bégaya.

— Je... je... je n'ai rien volé, je venais le remettre à sa place.

— Eh bien ! soit, vas-y, range-le.

Elle le contourna sans quitter son visage des yeux, entra dans la pièce et remit le livre à sa place. Pelham l'avait suivie. Il approcha son visage encore plus près du sien, et lui parla doucement.

— Tu vois je pourrais t'étriper sans aucun souci, personne ne te retrouverait ici. Du moins, pas tout de suite. Je serais enfin débarrassé des Vallerand... Enfin presque, mais Romaric est déjà mort.

Cécile était pétrifiée, elle ne pouvait plus bouger tant la peur la paralysait. Il passa son doigt sur sa joue en lui parlant encore plus près.

— N'ait pas peur, ton heure n'est pas encore venue, mais elle approche, elle est très proche, plus proche que tu ne le penses... Je m'en vais n'oublie pas de refermer, je serais contrarié que tu ne le fasses pas. À bientôt.

Il disparut en laissant derrière lui un nuage de brume noire. Cécile commença à se sentir mieux, mais les paroles du Chevalier allaient rester gravées longtemps dans sa tête. Elle sortit et referma la bibliothèque. Elle remonta dans la cuisine, avala un grand verre d'eau, et s'assit un instant pour reprendre ses esprits. Elle ne se sentait plus tranquille dans cette maison, mais elle devait rester pour Lucas.

— Lucas ! s'exclama-t-elle, j'ai failli l'oublier, il va sortir de l'école.

Elle prit son manteau et repartait pour une course folle. Cette journée était très intense en émotions. Lucas l'attendait sagement devant la grille de l'école en compagnie de monsieur Parco.

— Je suis vraiment désolée, je suis en retard.

— Ne vous inquiétez pas la rassura le maître, nous venons juste de sortir. À plus tard.

Elle embrassa Lucas et lui demanda s'il avait passé une bonne journée. Il lui fit une réponse plutôt surprenante.

— Oui mais pourquoi tu étais dans la bibliothèque, moi je ne peux pas encore y aller.

Cécile était dans l'embarras, elle se rendit compte une fois de plus que Lucas pouvait vraiment savoir ce que faisait Pelham. Il ressentait vraiment tous ses faits et gestes.

— Je l'ai trouvé par hasard, expliqua-t-elle, et tu sais la curiosité aidant, je n'ai pas pu résister.

— Oui, mais c'est pour moi, il me l'a promis, rétorqua Lucas avec une assurance impressionnante.

Cécile était très gênée.

— Je suis désolée, je n'y retournerai plus, fais-moi confiance.

— Je te fais confiance, j'espère qu'on restera toujours ensemble.

— Mais bien sûr, pourquoi dis-tu cela ?

— Pour rien.

Il lui lâcha la main pour courir jusqu'à la maison et l'attendre devant la porte. Cécile le trouva différent aujourd'hui. Elle eut l'impression que son caractère avait évolué depuis ce matin. Il semblait un peu moins proche d'elle. Elle préférait se dire qu'il y aurait des jours meilleurs.

Elle s'installa pour prendre un goûter avec Lucas, quand elle entendit des coups répétés venir d'en bas. Interloquée, elle regarda en direction de l'escalier, les bruits cessèrent rapidement. Cécile regarda Lucas lorsque brusquement les coups recommencèrent. Elle observa à nouveau les marches et voulut se lever quand Lucas posa sa main sur son épaule et lui fit non de la tête. Elle ne sut pas comment réagir. Devait-elle écouter un enfant de huit ans et ne rien faire, sans savoir ce qui se passait, ou agir et descendre voir ? Elle opta pour le second choix et s'approcha de l'escalier lorsque Lucas se mit à crier d'une voix très forte.

— J'ai dit non.

Cécile se retourna, fort surprise du ton avec lequel il se mit à lui parler.

— Pourquoi me parle...

Lucas lui coupa la parole sèchement

— Ne descend pas, ça ne te concerne pas !

— Écoute, tu ne dois pas me parler ainsi, je descendrai si je le souhaite.

Lucas bondit de sa chaise et courut se mettre devant elle. Il la regarda avec des yeux noirs de colère.

— Je t'en empêcherai.

Cécile était déstabilisée par l'impudence dont faisait preuve Lucas. Elle sentait la peur commencer à l'envahir, mais arrivait tout de même à se ressaisir.

— Bien comme tu voudras, mais dis-moi au moins ce qu'il se passe en bas.

Lucas redevint lui-même plus doux.

— Rien, ne t'inquiète pas. Je veux bien un autre chocolat chaud, tu viens.

N'ayant pas trop le choix, elle le suivit pour lui préparer ce qu'il demandait.

*

Non loin de là, Nhéos était occupé dans la salle du trône à creuser. Après avoir fini son alcôve avec ses grilles et sa porte, il reçut l'ordre de Pelham de creuser en direction de sa maison. Il progressait en prenant soin d'éviter toutes les canalisations et différents câbles qui se trouvaient sur son chemin. Il n'était plus très loin de la bibliothèque quand le chevalier d'Orcival vint le rejoindre.

— As-tu bientôt fini Nhéos ?

— Oui maître encore quelques longueurs et nous y serons.

— Bien, fais attention en arrivant, derrière le mur il y a des œuvres d'une grande valeur. Il ne faut surtout rien abîmer.

Pelham resta en compagnie de son père pour vérifier que tout se passait bien. Il échafauda plusieurs plans dans sa tête qui était en relation avec ce tunnel. Il était dans ses pensées quand il reconnut le mur de sa bibliothèque.

— Stop, Nhéos ! nous y sommes.

Il s'approcha de la cloison et la traversa. Les flambeaux s'allumèrent à nouveau. Il regarda tous ses livres avec une certaine mélancolie. Il repensa aux nombreuses années qu'il avait dû passer pour réunir une telle quantité de formules magiques, de sorts et de diverses leçons. Il en regarda un en particulier et se souvint que ce fut le premier que lui avait donné Romaric de Vallerand. C'était le plus important, il lui apprenait les bases de la sorcellerie, mais pas comme les autres. Il avait été écrit par le sorcier lui-même. Il y avait même une annotation sur la première page : *au meilleur élève que je n'ai jamais eu, je me revois à ton âge.*

C'était signé de la main de Romaric.

La plupart des autres ouvrages avaient été écrits par Pelham lui-même, ou alors avaient simplement été volés chez d'autres sorciers beaucoup moins puissants. Il était très fier de ce lieu et était assez pressé que Lucas puisse enfin y avoir accès.

Il revint à ce pour quoi il était ici.

— Vas-y Nhéos, fait nous une magnifique porte digne de ce nom.

À peine ses mots avaient-ils été prononcés, qu'une ouverture fit son apparition au centre du mur.

— Ils ont dû entendre, s'inquiéta Nhéos.

— Ne t'en fait pas ricana Pelham, Lucas l'empêche de venir, il commence à choisir le chemin le plus intéressant.

Le chevalier d'Orcival était désormais prêt pour la suite des événements. Il se disait que ce tunnel était parfait pour qu'une personne puisse se rendre à son caveau sans être vue. Même une personne réticente à venir.

Chapitre 27

Le père Abel se trouvait dans le cimetière. Il arrangeait la tombe de la femme retrouvée dans la forêt quelques jours auparavant. Il déposait quelques pots de fleurs, lorsqu'il entendit un terrible bruit sous ses pieds. Interloqué, il s'arrêta un instant pour écouter ce qu'il se passait tout en cherchant à savoir d'où cela pouvait provenir. Il se mit à arpenter les allées entre les tombes et stoppait régulièrement pour localiser ce qui ressemblait de plus en plus à des déflagrations. Il se dirigea vers le sommet du cimetière où les bruits se faisaient plus présents. Un effroyable pressentiment vint soudain le hanter, son instinct lui fit coller son oreille sur la tombe du chevalier d'Orcival. Il fut à peine surpris de se rendre compte que ce vacarme venait d'ici.

— Oh ! mon Dieu ! mais que prépare-t-il donc encore ?

Les diverses explosions s'éloignèrent en se dirigeant vers le bas du cimetière. Elles semblaient continuer vers la rue des noisetiers, qui longeait celui-ci.

Le père Abel s'approcha du muret et vit à son plus grand étonnement les pavés s'affaisser puis se remettre en place, juste devant la maison des Delson.

Il sortit par le portail en bois, et se retrouva dans la ruelle à examiner le sol. Il s'agenouilla et écouta de nouveau les bruits qui semblaient venir du plus profond de la terre. Il se releva, médusé. Que pouvait-il bien se passer là-dessous ?

270

Il resta un moment à regarder la maison qui lui faisait face. Cela faisait longtemps qu'il n'en avait pas franchi le seuil. Il remarquait qu'il n'avait plus de malaises en étant aussi proche d'elle. Il y a quelques années, il n'aurait pas pu se tenir debout, dans cette ruelle, sans éprouver un mal être à peine supportable. Il pensait à s'approcher un peu plus et pourquoi pas demander si tout allait bien ici.

Il prit son courage à deux mains et sonna. Cécile vint lui ouvrir avec une certaine surprise. Le père Abel voyait dans ses yeux qu'elle n'était pas très à l'aise, il vit Lucas au loin, devant l'escalier de la cave.

— Tout va bien, mademoiselle Vallerand ?

— Oui mon père, pourquoi ?

— N'avez-vous pas entendu tous ces bruits depuis tout à l'heure ?

— Oui, mais je ne sais pas d'où ils peuvent provenir.

— Moi non plus c'est pour cela que je viens vous voir, car je ne comprends pas ce qu'il se passe. On aurait dit que ce chahut se dirigeait par ici.

— Oui absolument, comme si quelqu'un cognait contre les murs avec une masse, c'était effrayant, je vous avoue que j'ai eu très peur, puis d'un coup plus rien, le silence total.

Le père Abel réfléchissait en regardant Lucas du coin de l'œil. Il se doutait que quelque chose se tramait ici et que cet enfant avait l'attitude d'une personne qui en savait beaucoup plus qu'il ne le montrait.

— Bon, je vais vous laisser, mais promettez-moi de me prévenir si vous avez le moindre problème.

— D'accord, je vous le promets mon père, à bientôt.

Elle referma la porte. Le père était contrarié par le comportement de la jeune femme. Il ne comprenait pas cette peur qu'il avait vue dans son regard. Il avait remarqué aussi Lucas, debout devant ces marches, sans bouger, comme s'il voulait interdire l'accès au sous-sol de la maison.

Abel repartit chez lui, en se retournant de temps en temps. Il s'attendait à voir Cécile sortir en courant pour lui expliquer ce qui n'allait pas, mais il ne vit personne.

Il reprit le chemin du cimetière pour continuer d'embellir la tombe de cette pauvre femme morte dans des circonstances tragique et horrible.

*

Cécile revint à la table du salon pour finir son café. Elle était encore très perturbée par la façon dont lui avait parlé Lucas. Lui qui était si doux et si gentil avec elle depuis toujours. Elle ne l'avait pas reconnu lorsqu'il s'était mis devant l'escalier. Elle savait que Pelham reprenait le dessus régulièrement, mais là, c'est l'enfant qui lui avait parlé aussi rudement. Elle avait bien différencié les voix et s'était aperçue que son comportement n'était plus le même.

Lucas vint s'asseoir à son tour, les bruits avaient cessé, il continuait de parler comme si rien ne s'était passé. Cécile l'interrompit, car elle voulait mettre les choses au point et savoir s'il s'était rendu compte de ce qu'il avait fait.

— Écoute-moi Lucas, était-ce vraiment toi qui m'as parlé de la sorte tout à l'heure ?

Le petit garçon réfléchi un instant avant de répondre.

— Oui, il ne fallait pas que tu descendes, il me l'avait demandé.

— Et si je ne t'avais pas écouté, qu'aurais-tu fait ?

272

— Il m'avait dit de t'arrêter et de me servir de ses pouvoirs pour ça.

Cécile blêmit. Elle se sentait de moins en moins en sécurité avec lui. Ce qui l'inquiétait surtout c'est que cela ne lui posait aucun problème de suivre les ordres que lui donnait Pelham. Elle avait peur de la tournure qu'allaient prendre les événements, à huit ans, Lucas commençait à suivre le mauvais chemin.

*

La Citadelle de Clamor était dans une panique indescriptible. La mort d'un Veilleur des Abîmes n'était jamais arrivée, surtout au travers d'un cercueil. De nombreux Veilleurs étaient morts au cours de leurs missions dans le monde des mortels, mais ici c'était la première fois.

Alastor se rendit dans la salle correspondant à la région où s'était produit l'incident. Il était accompagné de Stygma, son second, et chef des Veilleurs.

Alastor fit le tour de la pièce. Son allure laissait penser qu'il était dans un état de contrariété et de doute extrême.

— Qu'a-t-il bien pu se produire ici, où est la personne qui était de garde ?

Un Veilleur s'avança lentement près de lui.

— C'était moi, seigneur.

— Bien, raconte-moi ce que tu as vu.

— J'étais près de l'entrée lorsque le Veilleur m'a informé que le couvercle s'ouvrait de l'autre côté. Il a regardé dedans, comme le veut la règle, et il devait y avoir quelqu'un qui faisait de même chez les mortels car son rayon est entré en action.

— Ensuite ! s'impatienta Alastor.

— J'ai vu un rayon rouge sortir du cercueil. Il progressait difficilement vers le Veilleur, mais celui-ci ne pouvait rien faire pour le retenir. Le rayon est arrivé sur lui, il y eut un cri terrible, une explosion, et son âme a été aspirée de l'autre côté. C'est tout ce que je peux vous dire mon seigneur.

— Parfait, retourne à tes occupations.

Alastor refit le tour de la tombe en essayant de comprendre de qui venait ce rayon rouge. Et surtout, ce qui l'inquiétait c'était la puissance de celui-ci, car il était capable de tuer un Veilleur des Abîmes.

Il s'adressa à Stygma.

— As-tu une idée de qui cela peut provenir ?

Stygma était dubitatif.

— Non pas vraiment. Le problème pour le moment, c'est qu'il y a de nouveau une âme perdue chez les mortels.

— Tu as raison, mais ça, je te laisse t'en charger. Tu enverras ton Kadrac dès que possible pour qu'il la repère. Ensuite, tu iras la chercher et tu la détruiras. En même temps, essaie de savoir qui aurait un intérêt à éliminer un Veilleur des abîmes.

— Bien mon seigneur, je vais m'en charger.

Stygma repartit, tandis qu'Alastor restait à contempler le dernier cercueil de cette pièce. Il savait qu'il appartenait au chevalier d'Orcival, mais il savait aussi qu'il était incapable de produire un tel rayon pouvant tuer un Veilleur des Abîmes.

*

Madame Lougin se promenait dans le village, comme elle le faisait régulièrement par plaisir. Elle avait entendu les bruits venant du sol. En passant par la rue qui longeait le cimetière, elle vit le curé entretenir quelques tombes et en profita pour aller le saluer. Elle arriva à sa hauteur.

— Bonjour, mon père, comment allez-vous ?

Abel se retourna un peu surpris.

— Ah ! madame Lougin, bien et vous-même ?

— Pas trop mal ma foi, mes jambes me font un peu souffrir, ainsi que mon dos. C'est l'âge on n'y peut rien. Sinon avez-vous entendu tout ce boucan là-dessous ?

— Oui, affirma le père Abel, j'ai même supposé qu'il venait de la tombe là-haut et se dirigeait vers la maison des Delson. J'ai vu aussi la chaussée bouger devant leur maison, c'était très impressionnant.

— Je me demande ce qu'il nous prépare.

— Pensez-vous aussi que cela vient de ce chevalier ?

— J'en mettrai ma main au feu, assura Louise. Lucas grandit, il va devenir de plus en plus puissant. Pelham va tout faire pour l'attirer à lui. Ce que nous avons entendu fait sûrement partie d'un de ses plans diaboliques. Bon je vais rentrer chez moi avant de me faire surprendre par la nuit, bonne continuation mon père.

Louise s'en alla doucement, sa démarche était hésitante. Elle avait du mal à se mouvoir, les douleurs de ses membres la faisaient de plus en plus souffrir. Souvent, elle pensait retrouver son mari au paradis, elle l'aimait tellement. Elle disait toujours que le jour où ses souffrances deviendraient insupportables, elle préférerait le rejoindre. Elle se disait qu'il valait mieux partir plutôt que de subir les temps ténébreux qui s'annonçaient inévitablement, même si cela pouvait sembler égoïste aux yeux de beaucoup de personnes. Il était évident que cette femme aidait un grand nombre de gens, confidente pour certains, voyante pour d'autres, mais le plus important était de contrer ce maléfique chevalier.

*

Le docteur Fabri, dont le cabinet n'était pas loin de la maison des Delson, avait lui aussi entendu et ressenti des secousses. Il était sorti dans la rue pour savoir d'où venait ce bruit. Il vit le père Abel discuter avec Cécile de Vallerand sur le pas de la porte. Il voulut les rejoindre lorsque la jeune femme referma la porte. Il attendit donc que le père Abel s'approche de lui. Il remarqua les pavés devant la maison qui étaient remontés un peu. Il alla les voir et essaya d'appuyer dessus avec son pied pour les remettre en place.

— Inutile, j'ai déjà essayé lui dit le curé, mais sans succès.

— Vous avez vu ce qui s'est passé, questionna Fabri ?

— J'ai seulement vu les pavés bouger puis entendu ce bruit, comme tout le village, je suppose.

— Effectivement, j'ai entendu comme un éboulement. J'ai surtout vu mon verre d'eau se renverser sur mes ordonnances, j'ai cru à un tremblement de terre.

— Je ne crois pas que ce soit ça, répondit le père Abel. Bon, je retourne au cimetière m'occuper de la tombe de cette pauvre femme. À bientôt.

Le docteur retourna chez lui pour nettoyer son bureau. Il n'était guère plus avancé, tremblement de terre ou pas, son travail était à refaire.

*

Lucas était en train de jouer dans sa chambre, Cécile décida d'en profiter pour descendre à la cave. Arrivée en bas des marches, elle alluma. Elle regarda, observa, mais ne vit rien de spécial, tout était en ordre. Cependant, elle entendit des voix. Elle s'approcha du mur, et colla son oreille à celui-ci. Elle ne se trompait pas. Des personnes étaient en train de discuter de l'autre côté, mais impossible de comprendre, les paroles étaient à peine audibles. Elle se recula en regardant l'empreinte sur le mur. Elle était de nouveau tentée d'ouvrir la bibliothèque, mais se ravisa en se disant que derrière cette cloison se trouvait peut-être le chevalier d'Orcival.

Elle entendit marcher au-dessus d'elle, Lucas la cherchait. Elle prit quelques légumes et remonta en toute hâte avant qu'il ne la surprenne ici. Elle arriva dans la cuisine, essoufflée.

Elle ressentit soudain une bouffée de chaleur l'envahir. Elle ôta son tablier ainsi que son polo en laine, il ne lui restait que ce débardeur de couleur beige sur le dos. En aucun cas, elle ne voulait faire paraître son émotion à Lucas et le contrarier.

— Tu fais quoi ? l'interrogea-t-il ?

— Tu vois bien je suis allée chercher de quoi faire à manger pour ce soir.

— Pourquoi tu te déshabilles ?

Cécile esquissa un sourire.

— Lucas, je ne me déshabille pas voyons, j'ai juste un peu chaud.

— Ah bon ! ben, moi je n'ai pas chaud.

Cécile se retourna pour laver ses légumes dans l'évier, elle sentait le regard insistant de Lucas posé sur elle. Il l'interpella à nouveau.

— C'est quoi cette tache sur ton épaule ? J'ai l'impression de l'avoir déjà vue ailleurs, non, c'est peut-être lui qui la connaît. Elle est bizarre, un peu rouge et marron et on dirait qu'il y a une cicatrice à l'intérieur.

Cécile répondit, un peu embarrassée.

— Tu es bien curieux dis donc, cela s'appelle une tache de naissance, tout comme celle que tu as sur la cuisse, allez maintenant va dans le salon et laisse-moi travailler s'il te plaît.

Il la regarda sans trop la croire, mais alla tout de même s'asseoir sur le canapé devant la télévision, sans rien dire.

Cécile était soulagée qu'il ne lui pose pas plus de questions. Elle mit ses légumes à cuire dans une casserole, se retourna et sursauta en le voyant dans l'embrasure de la porte.

— Tu m'as fait une belle peur Lucas, que veux-tu encore ?

— Rien, je regarde ce que tu fais.

Cécile était très gênée, elle voyait que ce n'était pas son regard. La petite lueur bleue au centre de la rétine ne la trompait pas, Pelham la surveillait.

Elle essaya de détourner son attention en lui parlant comme si de rien n'était.

— Tu devrais aller jouer, plutôt que de me regarder, je ne fais rien de bien intéressant tu sais, je vais préparer le souper.

— Tu ne vas plus descendre ?

— Non j'ai tout ce dont il me faut ici.

— C'est mieux pour toi, lui répondit-il sèchement.

Ces yeux redevinrent normaux lorsqu'il lui fit un sourire, il était à nouveau lui-même. Intriguée, elle alla vers l'entrée de la cuisine et le vit sur le canapé en train de s'amuser avec ses petites voitures, comme un garçon de huit ans le ferait à son âge.

Au bout de quelques instants, elle n'entendit plus de bruit dans le salon. Elle alla voir et remarqua que la télévision était éteinte, Lucas n'était plus là. Elle l'appela et ne reçut aucune réponse. Elle monta dans sa chambre, elle était vide. Elle redescendit, regarda dehors par la fenêtre, rien. Elle risqua un regard vers la cave et vit la lumière allumée. Elle ne se souvenait pas l'avoir laissée ainsi, elle était sûre d'avoir appuyé sur l'interrupteur. En descendant quelques marches, elle entendit la voix de Lucas marmonner quelque chose, il était face au mur.

Elle longea la rambarde doucement, en essayant de faire le moins de bruit possible. Elle voulait écouter ce qu'il disait. Elle arriva presque en bas lorsqu'il se tut. Elle était en équilibre sur une marche, et ne bougea plus.

Lucas prit une grande respiration et se retourna d'un coup, ses yeux étaient noirs, barrés de cet éclair bleu. Il leva un doit inquisiteur en direction de Cécile.

— Encore toi ? que fais-tu là ? Sors.

Ce n'était pas sa voix qui résonnait dans cette cave.

Il s'approcha lentement en la maudissant, elle était tétanisée par la peur. Ses jambes ne répondaient plus, elle s'agrippa à la rampe. Il commença à lever son bras, Cécile en pleurs se mit à hurler.

— Lucas, arrête c'est moi, tu ne veux pas me faire de mal, arrête, je t'en prie.

— Pourquoi me prier, tu sais que c'est ta destinée, les Vallerand doivent tous périr.

Il baissa lentement son bras toujours en direction de Cécile. Soudain, il s'arrêta. Ses yeux redevinrent normaux de nouveau, il s'agenouilla et se mit à pleurer en voyant sa nourrice ainsi.

— Je ne veux pas te faire de mal Cécile, c'est lui.

Il était encore une fois redevenu lui-même. Elle s'agenouilla aussi devant lui et le prit dans ses bras en lui murmurant à l'oreille.

— Je sais mon chéri que ce n'est pas toi. Tu te rends compte de ce que tu as fait, tu as réussi à me sauver de lui, je suis fier de toi.

— C'était dur, je n'y arriverai pas toujours, il est fort, de plus en plus. Il me fait faire des choses que je ne veux pas. Pourquoi à moi Cécile ? Il me fait mal.

Lucas était inconsolable, elle le leva pour qu'ils puissent remonter au salon. Elle l'assit sur le canapé et essuya ses yeux pleins de larmes.

— Toi aussi tu es fort Lucas, et tu le seras encore plus à l'avenir. Tu pourras le contrer davantage en grandissant j'en suis certaine. J'ai confiance en toi.

Il se blottit contre elle en continuant de pleurer.

*

— Maudit gamin ! s'emporta Pelham, j'y étais presque. Pourquoi a-t-il fallu que ce soit lui qui hérite de mes dons. Il est plus robuste qu'on ne le croit, il arrive à me neutraliser. Il ne m'obéit pas, que le diable l'emporte, lui et toute sa famille.

Il traversa tout le tunnel, de la bibliothèque à la salle du trône, sous forme de tornade. Il était furieux. Jasper essayait de le calmer et de le rassurer.

— Il est encore jeune, et ce que tu as mis en lui aussi. Attends que tes sorts l'imprègnent complètement. À ce moment-là, il ne pourra plus lutter contre toi.

— Je n'en suis pas si sûr, mais tes paroles sont justes, je suis trop impatient. Ce qui m'ennuie c'est que je ne peux pas tuer cette femme de mes mains, je ne suis rien ici.

— Ne t'inquiète pas, ce moment arrivera, continuons notre plan comme il était prévu. Il est vrai que nous sommes matériellement incapables de tuer quelqu'un ici, à moins de lui infliger une peur immense peut-être. Sinon il y a Lucas pour ça et surtout Nhéos, il te l'a démontré avec la famille Varrin.

— C'est vrai, mais ça ressemble à une plaisanterie, moi le grand Pelham d'Orcival j'ai besoin de mon propre père, quelle ironie. Bref ! Nous ferons tout comme prévu, il faut trouver le bon moment, j'espère qu'il est proche, j'ai trop attendu.

Le lendemain matin, Cécile préparait Lucas pour l'emmener à l'école. Les événements de la veille avaient laissé des traces dans leurs yeux, ils étaient rougis par beaucoup trop de larmes versées.

Ils sortirent de la maison, le ciel était bas et sombre. La neige ne devait pas être loin et le froid était piquant ce matin. Cécile ajusta le manteau de Lucas, lui enfila sa cagoule ainsi que ces moufles. Elle lui prit la main et ils marchaient sans trop se presser, pour une fois ils n'étaient pas en retard. Arrivés devant l'école, elle le laissa en l'embrassant et en lui disant à ce soir. Il en fit de même en rajoutant un petit signe de la main.

Elle décida d'aller au manoir, voir ce que Romaric faisait depuis qu'elle lui avait remonté le moral. Elle voulait aussi lui parler de Lucas et de son évolution. Elle traversa le bois en rentrant la tête dans ses épaules, elle était frigorifiée. Elle marcha un peu plus vite pour se réchauffer, et surtout rentrer au manoir, se mettre près de la cheminée pour profiter du feu.

Elle arriva devant le portail, le poussa et courut vers la porte d'entrée. Elle se dirigea aussitôt en direction du salon et à sa grande surprise il n'y avait pas de feu. Elle appela Romaric, et en la voyant, il comprit aussitôt. Il lança une boule de feu dans l'âtre qui fit s'embraser les bûches. Elle le remercia tout en tendant ses mains vers les flammes salvatrices.

— Je suis content de te voir ma douce Cécile, lui exprima le sorcier. Cela faisait bien trop longtemps que tu n'étais pas venue.

— En effet, moi aussi je suis heureuse de revenir ici. Je venais voir comment tu allais.

— Je vais bien mieux maintenant que tu es là.

— Charmeur, lui rétorqua Cécile, un sourire aux lèvres. Tu sais que Lucas change vraiment en ce moment, il a réussi à contrer Pelham qui voulait certainement m'éliminer.

— T'éliminer, comment ça ?

— Il était prêt à me jeter un sort, par l'intermédiaire de Lucas, mais il a réussi à l'en empêcher.

— C'est déjà une bonne chose que cet enfant commence à lui poser des problèmes. Ce qui m'inquiète c'est qu'il veuille t'éliminer. Tu portes le mauvais nom, ma chérie.

— Je suis très fière d'être une Vallerand, et je fais attention, ne t'inquiète pas. Je surveille beaucoup Lucas, c'est le seul qui pourrait être dangereux pour moi.

— Tu as raison, Pelham ne peut rien te faire directement, il se servira de Lucas, c'est certain.

— Et toi que fais-tu de tes journées ? demanda Cécile.

— J'essaie de trouver des solutions qui m'échappent pour le moment, mais je ne baisse pas les bras.

— J'ai confiance en toi, tu trouveras. Bon, je vais repartir, j'espère pouvoir revenir bientôt. Je pense que John et Marie ne devraient plus tarder, ils reviendront peut-être avant Noël. Je serais donc plus présente à tes côtés.

Elle prit congé de Romaric en lui envoyant un baiser de sa main. Elle ouvrit la porte d'entrée, et au moment précis où elle mit le pied dehors, une énorme explosion retentit au loin. Elle ne fut pas plus surprise que cela, elle se dit simplement que la Citadelle revenait encore leur rendre visite.

Chapitre 28

Pelham et Jasper entendirent le bruit de l'explosion, qui mit fin à leur discussion prématurément. Elle leur semblait d'ailleurs assez proche. Un de leurs hommes leur annonça que c'était aux abords de l'église, peut-être devant, ou pas très loin de la place du marché. Ils savaient tous ce que signifiait cette déflagration, un Kadrac avait été envoyé pour chercher une âme perdue. Celle que Nhéos avait tuée en regardant dans le cercueil, l'âme du Veilleur des Abîmes.

Ils pensaient tous que l'animal ne viendrait pas ici, en général les âmes se réfugient dans le lac près du manoir. Cependant, il n'était pas loin pour le moment, et il devra se nourrir pour récupérer de son voyage et de son extirpation de ce trou.

*

Le cratère fait par le Kadrac se trouvait entre l'église et l'école. Les Veilleurs des Abîmes les envoyaient un peu au hasard. Le principal était qu'ils arrivent dans la ville voulue, ou la bonne région.

Celui-ci était encore au fond de son gouffre. Il connaissait bien ce petit village, il y était déjà venu pour repérer le coffret de Lucas. C'était une fois de plus le Kadrac de Stygma.

Plusieurs personnes étaient sorties après avoir entendu l'explosion. Il y avait entre autres le père Abel, le docteur Fabri et monsieur Parco qui empêchait ses élèves de s'approcher. Lucas parvint néanmoins à échapper à sa vigilance pour se placer juste au bord du précipice.

Tout le monde retenait son souffle en le voyant si près de la bordure. Lui était très à l'aise et regardait au fond.

Il releva la tête et dévisagea tout le monde avant de s'exprimer sur un ton très calme :

— Il faut pas rester là, il va bientôt remonter.

Le père Abel lui posa la question, celle qui amènerait la réponse attendue par tout le monde.

— Qui ça ? qui va remonter ?

Lucas fixa le père avec un regard très dur et insensible.

— Tu n'aimerais pas le savoir. Rentrez vite il commence à creuser.

Le docteur prit les choses en main en voyant que Lucas était très sérieux. Il regarda en bas et vit un nuage de terre se soulever. Quelque chose bougeait au fond.

— Partez ! hurla-t-il, retournez à l'intérieur, il a raison, quelque chose monte.

Tout le monde se mit à courir. Le père Abel, très choqué par le comportement de Lucas, rentra dans son église et ferma toutes les portes. Le docteur Fabri rejoignit son cabinet médical en s'enfermant à double tour. Monsieur Parco fit rentrer ses élèves rapidement. Lucas était resté en arrière et observait toujours le Kadrac en train de monter. Le maître ne cessa de l'appeler. Lucas le regarda sans bouger. Le père Abel ouvrit la fenêtre de son presbytère en voyant le garçon ainsi. Il lui ordonna de retourner se mettre à l'abri dans l'école. Lucas l'ignora, il ne voulait rien entendre. Le Kadrac était à mi-chemin. Le docteur sortit en courant pour aller le chercher. Il le prit par la main, d'un geste brusque Lucas la retira en le prévenant :

— Laisse-moi où tu seras son premier repas.

Fabri restait pantois en voyant le regard noir virer au bleu que l'enfant lui lançait. Effaré, il retourna chez lui promptement.

Pelham s'amusait à tester Lucas. Il l'empêchait de bouger pour le faire réagir. Il voulait savoir surtout s'il était capable de le diriger, et jusqu'à quel point.

Le Kadrac était quasiment en haut du trou. Lucas menait une bataille terrible contre Pelham à l'intérieur de lui. Il transpirait, il commençait à pleurer. Ses poings étaient serrés, ses jambes tremblaient. Il regardait autour de lui, la ruelle était déserte, il était seul. Il leva la tête vers le ciel, quelques flocons de neige commençaient à tomber sur son visage. Il ferma ses yeux, des larmes coulaient le long de ses joues. Sa douleur était immense.

Il ressentit un souffle rauque. Il baissa son regard, le Kadrac était à ses pieds. Il le fixait, la gueule ouverte, pour rechercher un maximum d'air.

Tout le monde derrière ses fenêtres vit pour la première fois cette espèce d'animal immonde. Le docteur Fabri comprit tout de suite que c'était ce genre de créature qui avait à moitié englouti la femme dans le bois. Le père Abel se fit la même réflexion.

Jasper supplia Pelham de réagir.

— Fais quelque chose, il va le dévorer.

— Sois tranquille, je sais ce que je fais.

— J'en suis moins sûr que toi, il est si près de l'enfant.

Nhéos arriva à côté de Pelham.

— Laissez-moi les rejoindre maître, je peux nous en débarrasser.

— Non pas tout de suite, répliqua le chevalier, attendons un peu, voyons la réaction de l'enfant.

Le Kadrac se dressa sur ses pattes. Il était aussi grand que Lucas, ses crocs étaient à quelques centimètres de son visage.

Lucas tourna sa tête sur le côté en recevant le souffle putride de la bête sur son nez. Il fit un pas en arrière, l'animal ne bougea pas. Lucas recula encore un peu. Le Kadrac se coucha en ne le quittant pas des yeux.

Jasper demanda une nouvelle fois à Pelham d'arrêter et de le sauver.

— Trop tard, je ne le contrôle, plus certifia-t-il. Il a repris possession de son corps, il m'a mis à l'écart. Comment est-ce possible ? Je ne peux plus rien pour lui. Je ne comprends pas la réaction du Kadrac non plus.

Lucas était lui-même. Il n'avait pas l'air d'avoir peur. Il recula jusqu'à la grille de l'école et l'animal ne bougeait toujours pas. Cela était incompréhensible qu'une telle créature assoiffée de sang et affamée n'en ait pas fait qu'une bouchée. C'était la pensée de tous ceux qui regardaient la scène sans pouvoir intervenir.

Lucas entra dans la cour de l'école, à ce moment précis le Kadrac se releva et se mit à grogner. Il s'avança vers lui qui restait immobile. De nouveau ; il était au plus près de lui, lorsqu'une voix hurlait au loin.

— Lucas ! non !

Le Kadrac se retourna et vit une silhouette sortir de la forêt. Cécile s'était arrêtée en voyant Lucas si proche de la mort. Elle avait crié pour détourner l'attention de l'animal.

En entendant ces hurlements, le Kadrac énervé se mit à bondir et à courir vers elle.

— Va dans la maison ! lui supplia Lucas, vite Cécile, vite.

Elle savait que c'était trop tard en voyant la vitesse à laquelle se déplaçait ce monstre. Elle mit ses mains devant ses yeux pour ne pas voir la mort en face. Puis, elle entendit un bruit de flamme. L'entité qui l'avait cherchée dans la maison se trouvait entre elle et le Kadrac qui lui, s'était arrêté et assis. L'être incandescent, la main tendue vers l'animal, s'adressa à Cécile :

— Je suis Nhéos, le choix qui t'est donné est très simple. Soit je m'écarte et tu meurs, soit tu viens avec moi et il ne te fera rien.

— Et que ferez-vous de moi ?

— Choisis vite, je me lasse.

Cécile apeurée n'eut pas vraiment le choix. Elle ne voulait pas se faire dévorer par cette créature monstrueuse.

— Je vous suis, annonça-t-elle, d'une voix tremblante.

— Bien, rentre dans cette maison et ne parle plus.

Il lui montra le numéro six du doigt, elle y entra et regarda par la fenêtre. Nhéos se poussa légèrement et le Kadrac passa à côté de lui, la tête baissée, en continuant son chemin vers le bois. Là, il put se repaître à volonté avant de continuer la recherche de sa proie.

Nhéos entra dans la maison et rejoignit Cécile dans le salon.

— Descends à la cave ! lui ordonna-t-il en se tenant devant la porte d'entrée.

Elle lui obéit sans discuter et vit que la cloison de la bibliothèque était ouverte. Les flambeaux venaient de s'allumer. Il la suivait de près et lui indiquait l'entrée du tunnel sombre. Elle s'arrêta net. Nhéos leva son bras dans sa direction, des flammes commencèrent à surgir de sa main. Cécile comprit qu'elle ne pouvait plus faire autrement.

Le père Abel se rendit devant la croix du Christ située derrière le chœur de l'église. Il s'agenouilla devant elle en psalmodiant quelques versets. Il ne cessa de répéter les mêmes questions.

— Mon Dieu, pourquoi nous infliger ceci ? Que va devenir Lucas ? Qu'allons-nous devenir ? Oh ! mon Dieu, je t'en prie, aie pitié de nous, réponds-moi.

Cécile avait du mal à respirer, il y avait une épaisse brume nauséabonde qui flottait dans l'air. Avec Nhéos, ils s'arrêtèrent un instant en entendant le hurlement d'un loup parvenir jusqu'à eux avant de reprendre leur progression. Elle avança dans ce tunnel, terrorisée, les yeux embués de larmes, en ayant l'impression de franchir la porte des ténèbres.

Imprimé en Allemagne
Achevé d'imprimer en octobre 2020
Dépôt légal : octobre 2020

Pour

Le Lys Bleu Éditions
83, Avenue d'Italie
75013 Paris